LA SANTÉ DANS SON JARDIN

Le millepertuis

Données de catalogage avant publication (Canada)

Lamarre, Daniel, 1960-

Le millepertuis. La santé dans son jardin

(Collection Santé naturelle)

ISBN 2-7640-0358-7

1. Millepertuis de Virginie - Emploi en thérapeutique. 2. Millepertuis de Virginie. I. Titre. II. Collection: Collection Santé naturelle (Outremont, Québec).

RS165.T74L35 1999 615'.323624 C99-940968-9

LES ÉDITIONS QUEBECOR
7, chemin Bates
Outremont (Québec)
H2V 1A6
Téléphone: (514) 270-1746

Bibliothèque nationale du Québec
Bibliothèque nationale du Canada
ISBN 2-7640-0358-7

Éditeur: Jacques Simard
Coordonnatrice de la production: Dianne Rioux
Conception de la page couverture: Bernard Langlois
Illustration de la page couverture: Christine Gagnon
Révision: Francine St-Jean
Correction d'épreuves: Jocelyne Cormier
Infographie: Composition Monika, Québec

Nous reconnaissons l'aide financière du gouvernement du Canada par l'entremise du Programme d'Aide au Développement et l'Industrie de l'Édition pour nos activités d'édition.

LA SANTÉ DANS SON JARDIN

Le millepertuis

Daniel Lamarre

À Pierre Deschênes, éditeur,
grâce à qui j'ai commis mes premiers écrits.

À Lucien Francoeur,
qui m'a introduit à une philosophie évolutive.

Ainsi qu'à tous les amoureux de la vie et
de la nature, en quête de la joie dans le
bonheur.

Le premier devoir de la médecine est de ne pas nuire.

L'homme est un tout, corps et esprit.

Toute personne est reliée à son environnement qui influence la santé.

Hippocrate, père de la médecine

AVANT-PROPOS

L'horticulture, l'environnement et la santé sont intimement liés. Je satisfais donc toutes mes passions en rédigeant cet ouvrage.

L'horticulture fait partie intégrante de ma vie depuis toujours. J'ai grandi à l'ombre du Jardin botanique de Montréal. C'est à cet endroit que je faisais, à l'occasion, l'école buissonnière. J'y ai surtout appris à observer les arbres, et aussi un peu de latin.

Mes premiers travaux horticoles remontent à une vingtaine d'années. À cette époque, je travaillais dans les magnifiques vergers de la vallée de l'Okanagan, en Colombie-Britannique. J'ai rapidement compris que, outre les techniques de culture, j'avais beaucoup à apprendre de ce contact direct avec la nature.

Plus tard, un emploi en aménagement paysager, dans la région de Santa Cruz, en Californie, m'a fait découvrir les particularités de l'horticulture tropicale.

C'était en 1979, le végétarisme était à son apogée, et la médecine herboriste trouvait de nombreux adeptes parmi les amants de la nature et les écologistes qui étaient légion à l'époque. J'ai pu constater moi-même l'efficacité de certaines plantes médicinales à quelques reprises. Des amis amérindiens m'ont également démontré comment ces herbes étaient liées à leur culture.

De retour au Québec, des études en horticulture ornementale m'ont apporté une meilleure compréhension de cette passion. Je me suis ensuite dirigé en conception d'environnement d'intérieur. Reproduire la nature à l'intérieur représentait un défi intéressant.

Au cours de cette période, j'ai pris connaissance d'une étude effectuée par la NASA. Cette étude démontrait les propriétés surprenantes des plantes à éliminer les produit toxiques contenus dans l'air des environnements clos, ce qui offrait une solution au syndrome des édifices hermétiques. Ceci est rapidement devenu mon cheval de bataille.

Depuis 1994, mes activités de conférencier m'ont permis de constater l'intérêt sans cesse grandissant des gens pour toutes les branches de l'horticulture.

Par la suite, en tant que chroniqueur horticole pour un magazine et la télévision, j'ai eu la chance de pouvoir partager ma passion avec plusieurs lecteurs et auditeurs. Plus tard, la production de quelques reportages m'a confirmé mon désir de communiquer cette passion.

L'horticulture nous ouvre aux beautés de la nature et à une meilleure compréhension du monde qui nous entoure. C'est donc naturellement que cela m'a amené à m'engager dans la protection de l'environnement. La présidence d'un organisme œuvrant en ce sens m'a ouvert, entre autres, à une vision plus globale des implications reliées à la production et à la consommation des végétaux, ainsi qu'aux conséquences de l'horticulture ornementale sur l'environnement.

Aujourd'hui, grâce à la biotechnologie, de nouvelles découvertes sur la nature permettent des applications jusqu'ici insoupçonnées. De plus, en médecine conventionnelle, 4 médicaments sur 10 sont des variantes de synthèse de composants d'origine végétale.

Malheureusement, près de 60 espèces végétales disparaissent de la surface de la planète chaque jour. Avec elles, un nombre infini de moyens et d'applications s'éteignent à jamais.

La nature et la vie sont formées d'une combinaison d'éléments infiniment complexes dont nous ne faisons qu'entrevoir le fonctionnement et les possibilités.

L'environnement premier dans lequel nous vivons est notre corps. S'il est prouvé que les plantes peuvent jouer un rôle important dans l'harmonisation de notre condition humaine, un pas de plus sera fait pour que la nature, dont nous sommes tous tributaires, soit précieusement considérée à sa juste valeur.

INTRODUCTION

Au cours des dernières années, l'intérêt grandissant pour une médecine herboriste et la multiplication des recherches scientifiques ont permis l'introduction de plusieurs plantes médicinales sur le marché. Les propriétés curatives de certaines d'entre elles semblent offrir des solutions intéressantes à la médecine conventionnelle.

Le millepertuis est, depuis quelque temps, le sujet de nombreux écrits qui en font une panacée. L'accent est porté plus particulièrement sur ses vertus antidépresseurs. On le compare avantageusement aux médicaments de synthèse dont le Prozac, qui a également été présenté comme un remède miracle mais qui a déçu les attentes de plusieurs.

L'introduction du millepertuis sur le marché a aussi alimenté le débat sur les médecines douces. Malgré les divergences d'opinions, tous s'entendent pour affirmer que cette plante possède des qualités appréciables. Les possibilités qu'elle offre incitent déjà la communauté médicale traditionnelle à adopter une plus grande ouverture envers la médecine herboriste.

Cet intérêt récent que l'on porte à la médecine naturelle n'a de nouveau que les technologies et les méthodes utilisées afin d'étudier les plantes et leurs propriétés.

Si on se réfère à l'Aspirine, qui vient à peine de célébrer son centième anniversaire, les médicaments de synthèse ne sont d'usage que depuis peu dans l'histoire humaine. En contrepartie, les propriétés des plantes médicinales ont contribué à soigner et à apaiser les souffrances de l'humanité depuis la nuit des temps.

Bien que pour l'Amérique du Nord l'utilisation thérapeutique du millepertuis soit récente, cette plante est connue et utilisée depuis déjà plusieurs millénaires. Très résistante, elle s'est propagée dans de nombreux pays et a fait partie des coutumes de nombreuses civilisations.

Ce livre propose de redécouvrir ce précieux et ancestral remède à travers son histoire ainsi que les multiples usages dont il a été l'objet au cours des âges.

Un volet est consacré aux ingrédients actifs et leurs propriétés médicinales, confirmées par les plus récentes études. Les effets secondaires et les contre-indications précèdent une liste des symptômes et des traitements ciblés par l'usage du millepertuis.

Son identification, les méthodes de culture écologiques adaptées, les modes de transformation ainsi que quelques recettes maison sont également présentés dans cet ouvrage. Le livre se termine sur un survol de la position officielle des intervenants et une liste des ressources.

Ce que je vous propose est une vision globale de l'utilisation de cette plante. Les implications reliées à une utilisation thérapeutique méritent que l'on s'attarde à tous les aspects qui s'y rapportent. Les aspects cliniques, sociaux et environnementaux sont donc également considérés dans ce livre.

Les chapitres consacrés aux aspects médicaux et aux données concernant le millepertuis consistent en une synthèse des informations disponibles à ce jour.

J'espère que ces informations pourront vous aider à faire un choix éclairé.

Bonne lecture!

CHAPITRE 1

LE MILLEPERTUIS

LA DESCRIPTION

L'*hypericum perforatum* est le nom scientifique qui indique le genre et l'espèce. Le nom latin est surtout utilisé lors de la consultation de livres de référence. Membre de la famille des hypéricacées, le genre *hypericum* comprend près de 400 espèces différentes, dont le *perforatum*.

L'hypericum est une plante arbustive qui peut atteindre une hauteur de 1,2 m à1,5 m (4 pi à 5 pi) à l'âge adulte, après trois ou quatre ans. Son arôme est très légèrement citronné. Les branches sont ponctuées de nombreuses tiges (pétioles) qui portent chacune une seule feuille. Ces feuilles sont entières et oblongues.

Chaque branche se termine par un bourgeon floral. Les sépales sont petits et pointus. Les fleurs sont pigmentées d'un beau jaune profond et formées par cinq pétales arrondis en formation étoilée. La bordure des pétales est ponctuée d'une série de très petits points noirs.

Le centre de ces fleurs contient un pistil sphérique surmonté de trois styles et entouré d'une cinquantaine d'étamines. Les embryons de semences se trouvent dans l'ovule au cœur du réceptacle. Cette plante est donc hermaphrodite, car la présence simultanée d'un pistil (organe femelle) et des étamines (organes mâles) lui permet de se reproduire par elle-même.

La surface des feuilles est dotée d'une multitude de petites glandes translucides qui sont la caractéristique propre à l'espèce *perforatum*. D'autres glandes, plus foncées et moins apparentes, se trouvent sous les feuilles et les pétales ainsi qu'à l'intérieur du bourgeon. La présence de ces glandes se manifeste en dégageant une huile pourpre quand elles sont écrasées.

Le millepertuis est une plante vivace qui s'est bien acclimatée à notre climat.

LA RUSTICITÉ

La rusticité d'une plante détermine les zones de température où cette plante pourra bénéficier des conditions ambiantes favorables à sa croissance. Par sa grande capacité d'adaptation, le millepertuis s'est naturalisé à des climats des plus diversifiés. Toutes espèces confondues, le genre *hypericum* est situé dans des zones allant de 4 à 9.

À titre d'exemple, Montréal (Québec) se situe en zone 4 et le Nord mexicain en zones 8 et 9. Voici la liste des pays où l'*hypericum perforatum* se trouve à l'état naturel.

Afghanistan
Albanie
Algérie
Allemagne
Angleterre
Arménie
Belgique
Bulgarie
Canada
Chine
Corse
Danemark
États-Unis
Finlande
France
Géorgie
Grèce
Hongrie
Inde
Iran
Italie
Japon
Kazakhstan
Maroc
Mongolie
Pakistan
Pays-Bas
Pologne
Portugal
Roumanie
Royaume-Uni
Russie
Suède
Suisse
Syrie
Tadjikistan
Tchécoslovaquie
Tunisie
Turkménistan
Turquie
Ukraine
Yougoslavie

AUTRES ESPÈCES

Le genre *hypericum* comprend près de 400 espèces différentes. Outre l'*hypericum perforatum*, peu de données sont disponibles sur les propriétés curatives de ces espèces apparentées, qui ne sont pas des sujets de recherches approfondies. Ce qui démarque une espèce d'une autre est parfois une variation infime de l'apparence générale du genre. La meilleure façon de distinguer le *perforatum* des autres espèces consiste à disposer les feuilles près d'une source de lumière. On peut ainsi apercevoir la multitude de petites glandes translucides qui donnent l'illusion d'être criblées de trous, ce qui constitue sa caractéristique propre.

Il est généralement admis que l'espèce *perforatum* est celle qui contient la plus haute teneur d'hypéricine. L'hypéricine est l'ingrédient actif le plus étudié de cette plante.

Autrefois, on reconnaissait la plante grâce à la forme de sa fleur qui varie peu d'une espèce à l'autre. C'est pourquoi on trouve un grand nombre d'espèces sous l'appellation commune de millepertuis ou St.-John's-wort, dans le langage shakespearien.

Voici quelques-unes des espèces qui ont mérité une appellation particulière; plusieurs sont utilisées en horticulture ornementale.

Espèce	Nom commun
H. androsaemum	Toute-sante
H. calycinum	Millepertuis rampant
H. crux-andreae	Croix de Saint-André
H. cumilicola	Millepertuis des Hautes-terres *(Hilands)*
H. frondosum	Millepertuis doré
H. hypericoides	Herbe de Saint-Pierre
H. patulum	Kinshibai (Japon)
H. prolificum	Millepertuis prolifère

LES MULTIPLES NOMS DU MILLEPERTUIS

À l'instar des nombreux personnages légendaires qui ont peuplé l'imaginaire de l'humanité, le millepertuis a été adopté par les nombreuses cultures qui avaient accès à ses vertus bénéfiques. Au cours des siècles, plusieurs dénominations lui furent attribuées. En voici quelques-unes.

- Millepertuis est un nom français du Moyen Âge. Les feuilles recouvertes de multiples glandes donnent l'impression d'être transpercées de petits trous. Pertuis signifiait «trou» à cette époque.

- Herbe de Saint-Jean est une autre dénomination française probablement reliée au fait que cette plante fleurit vers la fin du mois de juin, à l'époque de la Saint-Jean-Baptiste.

- St.-John's-wort est une appellation anglaise du Moyen Âge. *Wort* étant l'ancien mot anglais qui signifiait «plante» ou «herbe». C'est sous ce nom qu'on peut se procurer le plus de renseignements au sujet de cette plante.

- En Russie, on lui a donné le nom peu flatteur de *Zveroboi,* qui veut dire «tueur de bête», peut-être en raison des effets toxiques produits sur le bétail exposé au soleil, ou à la croyance populaire qui lui donnait les pouvoirs de chasser les démons.

- En Allemagne, le seul pays où le millepertuis est prescrit par les médecins comme antidépresseur, on le trouve sous le nom de *Johanniskraut*.

- La Californie lui a attribué la dénomination de *Kalmath weed,* du nom d'une rivière dont les rives furent envahies par cette plante. On l'appelle aussi herbe à chèvre (*goat weed*), car ce petit mammifère, peut-être d'un naturel dépressif, démontre une prédilection pour ce végétal.

- Au cours des âges, les noms communs se sont multipliés avec les usages.

Les Anciens Grecs l'appelaient *Hypereikon*. En Europe médiévale, on conférait à cette plante le pouvoir de guérir les gens possédés par les démons. La dépression était alors interprétée comme un signe de possession.

C'est pourquoi des noms tels que le fouet du diable (*devil's scourge*), la merveille de Dieu et l'herbe de destinée ont fait partie des appellations de cette époque. Même le nom scientifique de l'époque, *Fuga daemonum*, qui signifiait «chasseur de démons», était sans équivoque quant à son usage.

L'HISTORIQUE

L'usage du millepertuis remonte à l'aube de l'humanité. On peut trouver des références à son sujet sous le nom de *Quian ceng lou* dans l'exhaustive pharmacologie chinoise déjà vieille de plus de 6 000 ans.

L'ancienne Égypte disposait aussi d'un répertoire de plantes médicinales impressionnant dans lequel on recommandait le millepertuis pour traiter l'hystérie et les sautes d'humeur.

En Occident, les premiers écrits répertoriés datent de 400 ans avant Jésus-Christ et sont attribuables à nul autre qu'Hippocrate, considéré comme le père de la médecine et à l'origine du serment que prêtent les médecins.

Également précurseur par son approche qui favorisait la guérison par le traitement des humeurs, il a répertorié l'*Hypereikon* parmi une liste de plantes médicinales qu'il prescrivait contre plusieurs symptômes comme l'agitation, l'angoisse et autres troubles de comportement.

Pline l'Ancien, naturaliste et écrivain latin qui vécut de 23 à 79 après Jésus-Christ, a également fait mention du millepertuis dans une vaste compilation scientifique de 37 volumes intitulée *Histoire naturelle*.

Une autre mention significative apparaît dans *De Materia Medica*, un traité sur les thérapies médicales des plantes, écrit par Pedanius Dioscorides, un botaniste et médecin grec qui a servi comme chirurgien dans l'armée romaine en 78.

Il a observé les effets thérapeutiques du millepertuis sur les blessures de combat qu'il soignait aux champs de batailles. Il a noté la capacité du millepertuis d'arrêter l'écoulement du sang. Sa documentation sur plus de 500 plantes et leurs effets médicaux devient la référence sur le sujet et n'a été améliorée qu'à l'époque de la Renaissance, soit 1 500 ans plus tard.

L'utilisation du millepertuis a également été documentée par les chevaliers de l'ordre de Saint-Jean de Jérusalem, à l'époque des croisades chrétiennes au Moyen Âge. Ils utilisaient une poudre faite des parties florales et des feuilles pour arrêter les saignements et pour guérir les plaies subies au cours des batailles.

Il est naturel de présumer que l'on a continué d'utiliser le millepertuis lorsque les grands fléaux, dont la peste et la malaria, ont affligé l'humanité. Cette période, qualifiée d'âge noir, n'a pas laissé beaucoup d'archives.

La médecine herboriste a vécu un second essor avec l'ère des grandes explorations et des colonisations, qui ont favorisé la découverte de nouvelles variétés de plantes grâce à l'échange de médicaments entre les différentes cultures.

Les premiers jardins botaniques voués à l'étude furent installés en Italie, vers la fin des années 1500. Beaucoup de nouvelles connaissances y ont été établies; le millepertuis a évidemment été répertorié comme sujet d'étude.

À cette époque, un Suisse nommé Paracelce, fort de ces nouvelles connaissances, a élaboré une nouvelle théorie quant à l'utilisation des plantes en médecine. Selon lui, l'apparence d'une plante indiquait ses propriétés.

Son approche, nommée doctrine des Signatures, affirmait que la ressemblance d'une plante avec nos organes vitaux déterminait le choix de ce végétal pour traiter les maladies pouvant attaquer cet organe.

La couleur jaune clair des fleurs de l'*hypericum* indiquait que cette herbe pouvait convenir pour les traitements du foie en cas de jaunisse ou de gastrite. Dans cette même optique, les petites perforations des feuilles ainsi que la couleur rouge de l'huile produite par les fleurs suggéraient la capacité d'arrêter les hémorragies. Cette philosophie a été largement adoptée, et son apprentissage était obligatoire dans les études de médecine pendant de nombreuses années.

Au début des années 1600, un Anglais nommé Nicolas Culpeper a causé une véritable révolution dans le monde médical en publiant le premier livre sur les plantes rédigé dans un anglais simple et accessible pour tous, à la place du latin, utilisé jusqu'à ce jour. Décrié par la communauté médicale qui craignait de perdre l'exclusivité du secret médical, ce livre est devenu un immense succès auprès de la population. De fait, il est toujours publié de nos jours sous le nom de *Culpeper's herbal* et est distribué dans les grandes chaînes aux côtés des nouveautés.

Un autre livre, publié au XVIIe siècle, a traversé l'épreuve du temps et se trouve encore chez nos libraires aujourd'hui: il s'agit du *Theatre of Plants*, écrit par le botaniste John Parkinson.

Ces deux ouvrages font évidemment mention du millepertuis en reconnaissant ses propriétés curatives. À cette époque, on recommandait son usage pour traiter des problèmes aux bronches et aux poumons, les douleurs menstruelles et la mélancolie.

Le millepertuis était également mentionné dans la première édition du *Pharmacopœia Londonensis* en 1618.

Vers la fin du XVIIe siècle, John Gerard, un autre herboriste de renom, estimait que le millepertuis était efficace pour réduire les risques de formation de pierres à la vessie. Il soutenait aussi le potentiel curatif de cette plante pour soulager les brûlures et les piqûres d'insectes.

Un de ses contemporains, l'herboriste italien Mattioli, a confirmé les propriétés emménagogues de l'herbe ainsi que son efficacité contre la malaria.

Aux États-Unis, durant la révolution, Benjamin Franklin a documenté les bienfaits du millepertuis pour soigner les blessures. Un siècle plus tard, Finley Ellingwood et John King, deux herboristes renommés, ont établi que cette plante pouvait traiter la dépression et ils en ont confirmé les propriétés astringentes et sédatives.

Le millepertuis a été également l'une des attractions présentées lors de l'inauguration du premier jardin botanique américain en l'an 1700. De fait, l'*hypericum perforatum* a été l'un des premiers végétaux à être planté à cet endroit.

Les Amérindiens connaissaient également les bienfaits du *Soleil terrestre* pour soigner un excès de fièvre, et s'en servaient comme baume pour la peau et antidote contre les morsures de serpent.

Au début du XXe siècle, avec l'arrivée des médicaments de synthèse, l'intérêt pour la médecine herboriste s'est effacé devant l'attrait du progrès.

Ce n'est que vers la fin des années 1950 et au début des années 1960 que de nouvelles recherches ont stimulé de nouveau l'attention pour cette médecine.

LE MILLEPERTUIS AU CANADA

Au Canada, le millepertuis a été introduit par les premiers colons venus d'Europe. Il s'est ensuite rapidement répandu dans l'Est du pays pour ensuite envahir l'Ouest, en épargnant les Prairies.

Cette plante était considérée comme nuisible par les propriétaires de bétail et ceux-ci ont vainement tenté de l'éradiquer par tous les moyens de l'époque.

En 1951, un insecte qui se nourrissait exclusivement de cette plante a été introduit au pays par le ministère fédéral de l'Agriculture afin de résoudre ce problème.

Peu de données sont disponibles à ce sujet. Il est naturel de croire que ce fut un échec, car le millepertuis est toujours présent dans notre environnement et il en va probablement de même pour l'insecte ravageur.

Le ministère fédéral de l'Agriculture a donc répertorié le millepertuis comme une herbe nuisible. Un recueil qui en fait état a été publié par le centre d'édition du gouvernement du Canada en 1987!

Peu d'études sur le millepertuis sont produites localement, la plupart des données sont importées d'Allemagne et des États-Unis.

Au Canada, le millepertuis est distribué en tant que supplément alimentaire. Ceci est critiqué par plusieurs personnes qui exigent une réglementation plus stricte.

Au cours des dernières années, dans l'ensemble du pays, le marché des médecines herboristes a généré des revenus annuels estimés à deux milliards de dollars.

CHAPITRE 2

LES PROPRIÉTÉS THÉRAPEUTIQUES

MÉDECINE OU SUPPLÉMENT ALIMENTAIRE?

L'apparition sur le marché d'une thérapie naturelle suscite à coup sûr de nombreuses controverses et de multiples débats, ce qui est tout à fait justifié. Lors du lancement à grande échelle d'un produit comme le millepertuis, le public est envahi par des campagnes médiatiques qui font référence à des recherches et à des études des plus diverses. Il est parfois difficile de discerner la pertinence et la valeur des études en question.

Pour être approuvé officiellement comme médicament, une substance contrôlée doit d'abord passer par de longues et laborieuses recherches qui prendront souvent plusieurs années avant d'aboutir à des résultats probants.

Afin de déterminer les effets curatifs et la toxicité d'un produit, il sera testé sur de nombreux sujets durant une période donnée. Plus le nombre de sujets est grand et la période d'essai longue, plus les résultats seront crédibles. Cette façon de procéder se doit d'être rigoureuse, mais elle est aussi coûteuse pour les promoteurs qui, à cette étape, sont encore bien loin de la mise en marché.

Certaines entreprises auront intérêt à écourter ce protocole, soit par souci d'économie, soit pour répondre à la demande des consommateurs plus rapidement. Ce qui explique pourquoi on découvre parfois les effets nuisibles d'une substance quelque temps après son arrivée sur le marché.

Il est aussi possible d'homologuer un produit sous des catégories différentes. La plupart des herbes médicinales, incluant le millepertuis, sont offertes sous forme de suppléments alimentaires. Cette catégorie n'est pas souscrite aux mêmes réglementations et peut donc être distribuée plus librement. Certaines restrictions s'appliquent tout de même en ce qui concerne la promotion d'un supplément nutritif.

La restriction principale interdit aux manufacturiers d'affirmer qu'une formulation d'herbes naturelles peut servir à guérir une maladie.

En Amérique du Nord, les législations actuellement en vigueur ne permettent aux manufacturiers que de fournir des renseignements sur la façon dont les herbes, les minéraux et les vitamines affectent les fonctions et la structure du corps.

Dans un proche avenir, il sera obligatoire, entre autres, de dresser une liste complète des ingrédients qui composent le produit. Cette démarche vise à réduire les risques reliés aux allergies et les interactions possibles avec d'autres substances.

La fatigue, les maux de tête, les syndromes prémenstruels, la ménopause et la baisse d'énergie sont considérés comme des conditions de vie plutôt que des maladies. Il est donc permis de louer les mérites curatifs d'une herbe s'ils s'appliquent à soulager ces conditions ou tout autre malaise qui ne sera pas reconnu officiellement comme une maladie.

LA RECHERCHE

Il est vrai d'affirmer que la majorité des recherches sur le millepertuis sont concluantes en ce qui concerne les effets bénéfiques de celui-ci pour contrer la dépression. Cependant, aucune étude n'a pu comprendre et trouver le mécanisme de son action antidépresseur de façon précise.

À ce jour, près de 5 000 personnes qui suivaient un traitement au millepertuis ont été observées lors de nombreuses études cliniques. L'Allemagne est de loin le pays qui a le plus étudié cette plante. Il est d'ailleurs le seul où l'usage du millepertuis est prescrit comme médicament par la médecine conventionnelle.

Plusieurs des résultats obtenus ont été mis en doute. On reproche principalement la trop grande variation des paramètres d'une étude à l'autre. Toutefois, un facteur commun englobe l'ensemble des recherches: elles sont exclusivement concentrées sur les propriétés des composants individuels isolés ou d'extraits standardisés.

Parmi les quelque 50 composants chimiques du millepertuis, seulement deux éléments ont été étudiés pour leur action antidépresseur, l'hypéricine et le pseudohypéricine.

Il est fondamental pour la médecine conventionnelle d'établir le mécanisme de fonctionnement de chaque élément chimique qui constitue la plante.

Le but visé est d'isoler l'élément actif aux effets recherchés, de le synthétiser et de le proposer sur le marché dans sa forme la plus pure et la plus efficace. Cette approche est évidemment nécessaire afin de bien déterminer les réactions et les effets qu'ont ces éléments sur le corps humain.

Toutefois, elle néglige l'interaction possible des autres constituants qui sont présents dans la composition de la plante. Aujourd'hui, certains chercheurs admettent qu'ils reconnaissent les propriétés du millepertuis pour traiter efficacement la dépression. Par contre, ils ne sont pas en mesure de comprendre entièrement son fonctionnement.

Plusieurs parmi eux croient maintenant que d'autres éléments actifs présents peuvent être liés à l'action curative de cette plante. De nouvelles recherches sur l'ensemble des constituants primaires et leurs effets combinés sont en cours.

La totalité des éléments actifs ont été trouvés, et plusieurs de ces ingrédients sont déjà reconnus et même utilisés sous forme de dérivés par la médecine traditionnelle.

LES INGRÉDIENTS ACTIFS

Voici la liste des éléments chimiques actifs principaux qui composent le millepertuis. Ils sont regroupés par classe de composants.

Ces éléments se trouvent dans la partie aérienne (hors du sol) de la plante. Le système racinien ne contient pas ou peu d'éléments utilisables.

Composés primaires

QUINONES
Hypéricine
Pseudohypéricine

FLAVONOLS
Amentoflavone
Biflavone
Hypérine
Proanthocyanidine
Quercitine

Composés secondaires

COUMARINES
Umbelliférone
Scopolamine

TANINS

XANTHOMES

HUILES ESSENTIELLES

LES COMPOSÉS PRIMAIRES

Les quinones

Les quinones sont une des classes de composants chimiques qui constituent la structure moléculaire de la plante. Certains quinones ont fonction d'enzymes ou de vitamines; d'autres servent de récepteurs d'hydrogène. Les quinones sont traditionnellement reconnus pour leurs actions antibiotiques, anti-inflammatoires, antiseptiques et analgésiques.

L'hypéricine et le pseudohypéricine sont tous deux de la classe des quinones. Bien qu'ils soient présents dans l'ensemble de la partie aérienne de la plante, ils sont surtout concentrés dans les boutons floraux et les pétales. Ils sont considérés comme responsables de l'action antidépresseur du millepertuis et ont généré le plus grand nombre de recherches à ce jour. Voici un aperçu de leurs actions thérapeutiques.

Les propriétés antivirales

Les études *in vitro* (en milieu artificiel et en éprouvette) ont confirmé le haut potentiel antiviral contre les virus de l'herpès simple 1 et 2, le virus Epstein-Barr, l'influenza A et B et la stomatite vésiculaire. Dans des études *in vitro* et aussi *in vivo* (sur des animaux et sur des humains), l'hypéricine a démontré de façon significative une activité antivirale potentiellement prometteuse contre le virus du VIH responsable du sida. On a aussi noté un rehaussement de l'activité antivirale de ces éléments en présence de la lumière.

Les propriétés anticancéreuses

Des tests en éprouvette ont révélé les propriétés anticancéreuses de l'hypéricine de deux façons: à petite dose, il ralentit la croissance des cellules cancéreuses; à forte dose, il détruit ces cellules. Plusieurs formes de cancer ont été visées par les recherches. Un potentiel significatif a été démontré dans les cas de cancer du sein, divers cancers de la peau (dont le mélanome et le gliome qui est le cancer du cerveau le plus répandu et mortel).

On a aussi comparé les effets curatifs et toxiques de l'hypéricine au tamoxifène, un traitement standard en chimiothérapie. L'efficacité de l'hypéricine s'est avérée égale sinon supérieure, tout en étant moins toxique et plus tolérable.

Les propriétés antidépresseurs

Les études cliniques sur l'efficacité de l'hypéricine et le pseudohypéricine, dans leurs formes naturelles et synthétisées, ont dominé la recherche contemporaine depuis les 15 dernières années. Bien que l'on ne soit toujours pas certain de leur mécanisme de fonctionnement comme antidépresseurs, on a établi, au cours de nombreuses études et essais cliniques, leur pouvoir à traiter les symptômes de la dysthymie (dépression légère et moyenne). Ils sont également bénéfiques pour contrer les états de fatigue, de tristesse, les pertes d'énergie, l'insomnie et l'irritabilité.

Il est reconnu que l'hypéricine et le pseudohypéricine produisent peu ou pas d'effets secondaires en comparaison avec les antidépresseurs conventionnels.

Certains résultats de recherches suggèrent que l'action antidépresseur de ces deux éléments soit augmentée par le fait qu'ils agissent aussi comme stimulateur du système immunitaire. Ce qui rehausse à son tour la résistance générale du corps aux symptômes associés à la dépression.

D'autres chercheurs croient que ces deux éléments ne sont pas les seuls à agir, et que d'autres ingrédients comme les flavonols et les xantomes possèdent aussi des propriétés antidépresseurs.

Les flavonols

Les flavonols font partie de la composition chimique la plus communément trouvée dans les plantes, dont les feuilles, les fleurs et les fruits sont colorés de jaune.

Les flavonols sont particulièrement utiles pour les problèmes de circulation sanguine; ils sont reconnus pour en abaisser la pression. La plus haute concentration de ces composés se trouve dans les fleurs.

L'*hypericum* contient cinq flavonols qui ont démontré, lors de recherches conventionnelles, des propriétés thérapeutiques aussi impressionnantes que variées.

Des propriétés sédatives sont attribuées à l'hypérine et au biflavone, tout comme à l'amentoflavone qui agit aussi comme anti-inflammatoire et inhibiteur du développement d'ulcères. La proanthocyanidine effectue les actions antivirale et antibiotique. Elle peut aussi être très efficace comme antioxydant et relaxant cardiovasculaire. Des effets antidépresseurs sont attribués à la quercitine.

LES COMPOSÉS SECONDAIRES

Les coumarines

Les coumarines forment un sous-groupe de composés chimiques responsables des propriétés aromatiques d'une plante.

Traditionnellement, ils sont utilisés pour leurs actions antibiotique et antifongique. On trouve ces composés sous des formes dérivées dans la plupart des plantes. L'odeur dégagée par la coupe d'une pelouse en est un exemple. L'*hypericum* contient des formes dérivées de coumarines, l'umbelliférone et la scopolamine, dont les plus grandes concentrations se trouvent dans les feuilles et dans les fleurs.

De récentes recherches ont confirmé les propriétés anti-inflammatoires et les actions anticancéreuses de ces deux éléments. D'autres dérivés de coumarines sont utilisées en médecine conventionnelle pour leurs propriétés anticoagulantes.

Les tanins

Depuis longtemps déjà, on utilise les tanins pour brunir et pour durcir le cuir. Outre cet usage ancestral, les tanins sont aussi dotés de propriétés thérapeutiques très variées. Astringents naturels, ils soulagent efficacement les symptômes de la diarrhée en réduisant les sécrétions digestives. Appliqués sur la peau, ils traiteront les blessures et les brûlures en diminuant l'inflammation.

Au cours de l'histoire, les tanins ont largement contribué à établir les propriétés curatives du millepertuis. Les plus grandes concentrations de ces agents sont présentes lors de la période de floraison et se trouvent dans les feuilles et dans les fleurs.

Les xanthomes

Les xanthomes forment un sous-groupe des flavonols. Situés dans les fleurs, ils sont responsables de l'arôme et de la pigmentation de celles-ci. Connus pour leurs actions anti-inflammatoires, antiseptiques, antispasmodiques et diurétiques, les xanthomes sont aussi considérés comme un excellent tonique pour le système circulatoire. Les recherches des dernières années ont permis de découvrir de nouvelles propriétés antibiotiques, antivirales et antidépresseurs.

LES HUILES ESSENTIELLES

Extraits concentrés obtenus par distillation, les huiles essentielles sont largement utilisées commercialement, notamment pour produire les parfums et d'autres produits odorants. Elles sont étudiées depuis longtemps par la science conventionnelle. En médecine herboriste, on leur reconnaît de multiples usages thérapeutiques. Outre les nombreuses propriétés déjà énumérées dans la liste des ingrédients actifs, on se sert aussi des huiles pour leurs actions sédatives et pour leurs effets bénéfiques sur l'humeur et sur la digestion.

On considère les huiles essentielles du millepertuis comme efficaces contre l'anxiété, la haute tension, les migraines, la fièvre des foins et l'asthme.

Depuis des siècles, la médecine traditionnelle chinoise tient également ces huiles en haute estime pour leur capacité à stimuler la transpiration et à réduire la fièvre.

Deux groupes chimiques sont présents dans les essences de l'*hypericum*, les monoterpènes et les séquiterpènes. Les plus récentes études ont confirmé les effets sédatifs et fongicides de ces composés.

Autres éléments présents

D'autres éléments actifs ont été trouvés et qui agissent comme agents possibles dans l'action du millepertuis: l'hyperforine et l'adhyperforine. Ces éléments ont démontré des actions antibiotiques supérieures aux traitements sulfuriques standards.

Les caroténoïdes augmentent le taux d'oxygène de l'organisme, ce qui stimule le procédé de guérison des brûlures.

Parmi plusieurs acides aminés présents, l'acide gamma-aminobutyrique agirait comme neurotransmetteur en concentrant son action sédative dans le système nerveux central.

L'*hypericum* contient aussi un composé œstrogène, le beta-sitosterol, qui jouerait un rôle important dans le traitement des symptômes de la ménopause et des douleurs menstruelles.

Les propriétés thérapeutiques du millepertuis ne se limitent pas à cette longue liste. Les recherches dont il fait l'objet depuis près de 30 ans ont aussi démontré son potentiel pour combattre la tuberculose, les colites, les otites, les infections urinaires et les infections de la gorge.

L'EFFICACITÉ

Si on se reporte aux deux études les plus couramment mentionnées, les recherches se sont concentrées principalement sur l'action antidépresseur du millepertuis.

Parmi les nombreux protocoles de recherches, des comparaisons aux actions des antidépresseurs de synthèse et aux placebos ont été documentées. Les paramètres d'études ne sont pas uniformisés et, par conséquent, il est difficile d'établir des statistiques sûres. Le reproche qui est généralement formulé envers les résultats d'études est que ceux-ci reposent sur une trop grande variation des paramètres de recherches.

Certaines études ont utilisé des antidépresseurs de synthèse à un dosage plus faible que celui prescrit normalement. D'autres n'ont pas contrôlé l'utilisation de placebos, qui consistent à administrer une dose factice et sans effets, et d'observer les réactions du sujet qui croit être sous un traitement. Il est intéressant de noter que les plus hauts taux de réussite ont été rapportés par les études qui ne plaçaient pas les sujets sous placebo.

En contrepartie, une étude où l'usage d'un placebo était contrôlé a rapporté une nette amélioration de l'état de santé chez 23 % des patients qui n'avaient pris que du sucre.

En Europe, un journal médical a fait une synthèse de 23 des études les plus crédibles à ce jour. Selon les données ainsi compilées, 64 % des gens qui ont suivi un traitement au millepertuis ont vu leur état de santé s'améliorer.

La meilleure référence revient à l'Allemagne qui a approuvé officiellement l'usage médical du millepertuis en 1984. Depuis, trois millions d'ordonnances sont dispensées chaque année.

Bien que l'on reconnaisse les actions bénéfiques de plusieurs des ingrédients actifs du millepertuis, les mécanismes de fonctionnement de la plante ne sont toujours pas étudiés de façon globale.

Il reste de nombreuses découvertes à obtenir avant de pouvoir appréhender l'ensemble de son action. Toutefois, plusieurs applications sont aujourd'hui approuvées par la médecine officielle, et il est indéniable que plusieurs siècles de résultats positifs ne peuvent mentir sur l'efficacité de son utilisation.

Chaque jour, de nouvelles confirmations s'ajoutent à une liste déjà exhaustive. Les recherches de plus en plus nombreuses et diversifiées démontrent régulièrement que les propriétés thérapeutiques du millepertuis en font une solution de rechange pratique à la médecine conventionnelle.

Cela ne veut pas dire que son usage ne comporte pas quelques risques et effets secondaires. C'est d'ailleurs sur ce terrain que s'affrontent les médecines herboriste et conventionnelle.

En bref, il est aussi difficile de prouver l'efficacité d'un produit qu'il est facile d'en contester les propriétés. Pour chaque étude qui confirme les bienfaits d'un produit, une autre étude prouve ses inconvénients. Beaucoup de facteurs sont contradictoires, mais il est quand même possible d'établir quelques certitudes en ce qui concerne les dangers les plus évidents.

CHAPITRE 3

LES EFFETS SECONDAIRES

LES PLANTES NATURELLES EN TOUTE SÉCURITÉ?

La plupart des gens croient, à tort, que si un produit est de source naturelle, son utilisation ne comporte aucun risque. On oublie facilement que de nombreux poisons, tel l'arsenic, proviennent directement de plantes qui sont hautement toxiques.

Le curare en est un bon exemple. Ce poison végétal doté d'une action foudroyante est utilisé par les Indiens d'Amérique du Sud qui en enduisent leurs flèches pour chasser; il est aussi employé en anesthésie.

La strychnine est un alcaloïde toxique très puissant, extrait d'une noix. Seulement 50 mg suffisent pour entraîner la mort d'un être humain adulte. À faible dose, la strychnine stimule les nerfs moteurs.

Le datura, que l'on vend comme plante ornementale, est extrêmement toxique. Il contient des alcaloïdes puissants qui peuvent causer de graves problèmes neurologiques. Les prêtres aztèques le qualifiaient autrefois de nourriture des dieux; ils l'utilisaient pour communiquer avec eux lors de cérémonies rituelles.

Des plantes d'intérieur aussi répandues que l'azalée et le cerisier de Jérusalem comportent également des dangers insoupçonnés. Elles peuvent causer des gastrites aiguës, des brûlures aux muqueuses et même modifier le rythme cardiaque.

Au Québec, presque toutes les fougères sont toxiques. Chaque année, on rapporte près de 35 cas d'empoisonnement alimentaire reliés à leur consommation. Les amateurs de crosses de fougère doivent être très prudents s'ils pratiquent l'autocueillette. La fougère à l'autruche (*Matteuccia struthiopteris*) est la seule espèce propre à la consommation.

Il est certain que le millepertuis n'est pas toxique en tant que tel. Aucun décès relié à son usage n'a été rapporté en 2 400 ans d'utilisation. Toutefois, il peut quand même occasionner des inconvénients chez certaines personnes. Il existe aussi des situations pour lesquelles son utilisation est déconseillée.

Ce qui a été publié par la presse populaire et les récents livres laisse à croire que le millepertuis est totalement bénin et peut être utilisé par tout le monde pour à peu près toutes les situations. Ceci est faux. Que ce soit à l'aide d'une herbe médicinale ou d'un médicament de synthèse, un traitement comporte toujours des risques inhérents.

Il est important et sain de conserver un certain scepticisme envers les solutions qui paraissent miraculeuses. Il est toujours préférable de bien s'informer sur le sujet avant d'entreprendre une action potentiellement dangereuse.

UN RÉSUMÉ DES ÉTUDES

Bien que les études se soient multipliées au cours des dernières années, produisant ainsi une multitude de résultats et d'opinions qui divergent, il est tout de même possible d'établir avec certitude les paramètres de sécurité en ce qui concerne l'usage du millepertuis.

À l'évidence des recherches cliniques, une dose de 900 mg par jour est généralement considérée comme sans risques et occasionnera peu ou pas d'effets secondaires chez la plupart des gens. S'il y en a, ils seront minimes et de courte durée.

La plus grande étude portant sur l'efficacité et la sécurité du millepertuis a été faite en Allemagne, en 1993. Sur une période de 4 semaines, 3250 sujets ont pris du millepertuis à raison de 300 mg d'extrait standardisé contenant 0,9 % d'hypéricine trois fois par jour, ce qui cumulait le dosage à 900 mg d'*hypericum* pour un total de 2,7 mg d'hypéricine. Dans ce cas précis, il s'agissait du médicament Jarsin 300, aussi nommé LI 160.

Les patients étaient âgés entre 20 et 90 ans, donc une moyenne de 51 ans, et 76 % étaient des femmes. Près de la moitié (49 %) souffraient de dépression légère; 46 % d'entre eux étaient atteints de dépression moyenne; et 3 % vivaient une dépression aiguë.

Dans cette étude, seulement 79 sujets ont ressenti des effets secondaires significatifs. Les symptômes les plus souvent éprouvés sont d'ordre gastro-intestinal (crampes d'estomac, diarrhées et nausées) et ont été rapportés par 18 patients. Dix-sept patients ont subi une réaction allergique (démangeaisons, sensibilité accrue à la lumière), 13 ont ressenti de la fatigue, 8 ont été pris d'anxiété et 5, d'étourdissements.

Il a donc été établi par cette étude que
qui prendraient du millepertuis étaient susce
ver des inconvénients sans conséquences gra

En 1996, le *British Medical Journal* a publié les résultats combinés de 23 études qui ont utilisé des extraits d'hypéricine pour traiter la dépression. Ces recherches avaient pour but de comparer les effets du millepertuis à ceux des antidépresseurs standards. Sur un total de 1 757 sujets, 19,8 % d'entre eux ont vécu des effets secondaires similaires à ceux ressentis au cours de l'étude allemande. Bien que le taux d'affection soit supérieur à la moyenne de l'étude de 1993, il est intéressant de constater que, comparativement, les patients traités aux antidépresseurs standards ont rapporté des effets secondaires plus sévères dans 52,8 % des cas.

Ces deux études sont devenues les pierres angulaires pour la mise en marché du millepertuis. Depuis, d'autres recherches sont venues confirmer la majorité des résultats obtenus. La somme des informations disponibles à ce jour nous permet d'établir que l'usage du millepertuis peut créer quatre types d'effets secondaires:

- *des problèmes gastro-intestinaux:* diarrhées, maux d'estomac, nausées et perte d'appétit;
- *des réactions allergiques:* irritation de la peau, dermatite, sensibilité à la lumière;
- *de la fatigue:* manque d'énergie, somnolence;
- *de l'anxiété:* insomnie, nervosité, fièvre et agitation.

Ces effets secondaires ont été rapportés principalement au début du traitement. Dans la plupart des cas, ils disparaissent après quelques jours. S'ils persistent, il vaut mieux cesser le traitement et consulter un médecin qui calibrera le dosage et la formulation ou proposera une autre solution plus appropriée à votre condition. Il existe des moyens pour contrer ou pour réduire ces effets indésirables.

LES MALAISES GASTRIQUES

Prendre la médication avec ou tout de suite après un repas peut soulager ces malaises. Il faut parfois changer de formulation; certaines gens vont mieux réagir en prenant des comprimés à la place d'extraits liquides.

Quelques extraits liquides contiennent de l'alcool, ce qui peut aussi irriter la digestion. Il existe toutefois des extraits sans alcool qui peuvent mieux convenir.

Il est préférable de diluer l'extrait liquide dans un verre d'eau de source. Au lieu de prendre le millepertuis trois fois par jour comme il est généralement recommandé, on peut le prendre en plus petites doses, au cours de la journée, en l'accompagnant d'une collation. Ceci est facile à faire si on prend un extrait liquide qui peut être dilué à un taux plus faible (12 gouttes 5 fois par jour, au lieu de 20 gouttes 3 fois par jour).

Les comprimés peuvent également être brisés en deux et, ainsi, être administrés six fois par jour au lieu de trois. Il est important de s'assurer de ne pas dépasser le dosage recommandé, qui est habituellement de 900 mg par jour.

Il faut évidemment surveiller son alimentation et profiter de cet épisode pour éliminer les mauvaises habitudes qui y sont reliées. Le repos et la relaxation sont aussi d'usage.

LES RÉACTIONS ALLERGIQUES

Les réactions allergiques les plus courantes sont reliées à l'action de photosensibilisation attribuée à l'hypéricine. Si le millepertuis est consommé en très grandes quantités, il peut créer une sensibilité extrême à la lumière du soleil ainsi que des rougeurs anormales sur la peau. Le dosage normal est recommandé.

Si vous êtes déjà sensible aux coups de soleil, il sera préférable de ne pas s'y exposer directement sans une crème protectrice. Le port d'un chapeau et de vêtements à manches longues est aussi conseillé.

Certaines personnes qui ont pris des doses massives de 1 800 mg et plus ou une formulation d'hypéricine synthétique pure ont ressenti des douleurs faciales ainsi que des congestions cutanées (érythème). Ces effets secondaires ont cessé dès que le traitement a été interrompu.

Outre ces symptômes, tout le monde peut avoir une réaction allergique à plusieurs substances, incluant le millepertuis. Si vous développez des signes d'allergie sévère, comme de la difficulté à respirer, une dilatation des tissus faciaux et de l'urticaire, consultez un médecin immédiatement.

Seulement deux cas de brûlures graves ont été rapportés; les patients avaient subi un traitement avec de l'*hypericum* en gel combiné à une thérapie aux ultrasons.

L'effet de photosensibilisation du millepertuis est plus prononcé quand il est utilisé de façon topique. Plusieurs crèmes pour la peau contiennent de l'hypéricine; il est donc préférable de bien vérifier le contenu de ces produits si on est déjà enclin aux coups de soleil.

LA FATIGUE ET L'ANXIÉTÉ

La majorité des études sur le millepertuis ont été concentrées sur ses propriétés à combattre les symptômes de la dépression. La fatigue chronique et le manque d'énergie sont reconnus parmi les signes qui servent à diagnostiquer la dépression.

Il est donc difficile d'établir avec certitude si la fatigue ressentie au cours des études est attribuable au traitement plutôt qu'à la condition que l'on désire traiter.

À la lumière des résultats des dernières recherches, il est maintenant possible d'affirmer que certains éléments actifs ont une action sédative. En fait, dans le passé, le millepertuis était aussi prescrit pour combattre l'insomnie.

Il est donc concevable qu'il puisse causer une légère somnolence. Afin de pallier cet effet, il est recommandé d'éliminer la caféine et la nicotine pour la durée du traitement. Un peu d'exercice quotidien contribuera aussi à obtenir une bonne nuit de sommeil. On est moins sujet à la fatigue si on est bien reposé.

Seulement 8 personnes sur 3 000 ont ressenti de l'anxiété ou de l'agitation au cours de la recherche allemande. Bien que ces sentiments puissent facilement être associés à tout traitement médical, ces effets secondaires sont fréquemment rapportés lors d'un traitement aux antidépresseurs.

Encore une fois, on s'explique mal comment de tels effets peuvent découler d'un traitement qui vise ces mêmes symptômes. La bonne nouvelle est qu'ils disparaissent dans les deux premières semaines du traitement.

CHAPITRE 4

LES CONTRE-INDICATIONS

UNE APPROCHE PRUDENTE

Les recherches ont confirmé, dans une large mesure, que l'usage du millepertuis comporte peu de risques s'il est suivi par un médecin. Par contre, la majorité des données dont nous disposons proviennent d'études effectuées sur des sujets dépressifs. De plus, les critères de sélection exigeaient que ces sujets ne souffrent pas d'autres maladies et ne soient sous aucune autre médication.

Les certitudes scientifiques reliées à son usage ne sont valides que dans ces paramètres. C'est pourquoi il est important de répéter que l'expertise d'un médecin est absolument essentielle et doit faire partie intégrante du traitement.

Les informations cliniques sont aussi soutenues par l'expérience acquise dans le quotidien de milliers de docteurs allemands qui ont prescrit le millepertuis à des millions de gens depuis près d'une décennie.

Malgré tout, un flot d'informations non validées continue d'être véhiculé sur le sujet. Par exemple, plusieurs articles parus dans différentes revues ont laissé entendre que le millepertuis ne comportait aucun risque pour les femmes enceintes et les jeunes enfants. La vérité est qu'il n'y a jamais eu d'études sur de tels sujets; il est donc impossible de soutenir cette information de façon scientifique.

Plus récemment, une nouvelle étude provenant de la Californie a fait état de résultats plutôt alarmants. Selon ces recherches, le millepertuis causerait l'infertilité en modifiant le code génétique des spermatozoïdes. Cette information a été diffusée par les médias en avril 1999.

Cela a suffi pour relancer automatiquement le débat sur la sécurité de ce produit et sur son utilisation. Dans les faits, seuls des hamsters ont été utilisés dans cette étude. Les chercheurs eux-mêmes sont les premiers à admettre qu'il faudra de nombreuses études supplémentaires pour confirmer les mêmes effets sur l'être humain.

Tous les intervenants de ce dossier s'entendent tout de même pour affirmer que la recherche sur le millepertuis doit se poursuivre, car il y a trop de facteurs inconnus qui restent à découvrir. Tant que la communauté scientifique n'aura pas percé tous les secrets de cette plante, les médecins traditionnels et herboristes sont d'accord pour privilégier une approche prudente lors de son ordonnance.

Il a été déterminé de manière certaine qu'il existe des situations où l'usage du millepertuis est fortement déconseillée. Voici une brève description des contre-indications valides à ce jour.

NE PRENEZ PAS DE MILLEPERTUIS SI...

Vous utilisez déjà un antidépresseur conventionnel, et plus particulièrement un médicament comme le Prozac. En effet, une interaction potentiellement dangereuse risque de se produire entre les deux substances, entraînant un syndrome grave qui affecte les neurotransmetteurs. Des messages contradictoires sont alors transmis au cerveau, occasionnant une rigidité des centres moteurs et une grande anxiété.

Les manufacturiers recommandent aux médecins de prescrire une période tampon d'au moins six semaines entre les traitements, afin de permettre à l'organisme d'éliminer complètement toutes traces du produit précédemment utilisé.

Si vous souffrez de désordres bipolaires (maniacodépression) ou de dépression grave qui impliquent des pensées suicidaires. Le millepertuis n'est recommandé que pour les dépressions légères et les désordres affectifs saisonniers.

Si vous êtes enceinte ou si vous allaitez. Il n'y a pas eu d'études sur des femmes enceintes, il est donc impossible d'affirmer que le millepertuis est sans danger dans cette condition.

Il en va de même pour les jeunes enfants. En outre, ceux-ci sont plus sensibles aux effets des médicaments de synthèse ou naturels. Raison de plus pour ne pas prendre de risque!

Si vous éprouvez une dépendance à la drogue. L'interaction possible entre les drogues est potentiellement dangereuse. Les drogues dures comme la cocaïne et l'héroïne contiennent des alcaloïdes puissants qui influent sur le fonctionnement normal du cerveau.

Aucune étude n'a encore porté sur le sujet; il est donc impossible de prévoir les conséquences d'une synergie avec ces drogues. Les amphétamines ont aussi un potentiel de danger indéterminé.

Une drogue douce comme le *cannabis indica* peut aussi comporter des risques. L'ingrédient actif principal, le thétracanabinoïde (thc), agit lui aussi comme psychotrope et même si on reconnaît maintenant son utilité médicale, son interaction avec d'autres médicaments est inconnue.

Bien qu'il soit rapporté que le millepertuis est utilisé pour la désintoxication, il sera prudent d'atteindre la sobriété par un autre moyen avant d'entreprendre un traitement de soutien avec cette plante.

AUTRES SITUATIONS PARTICULIÈRES

Certaines conditions de santé peuvent affecter le fonctionnement du millepertuis. Lorsqu'une personne est atteinte d'une maladie spécifique comme des troubles chroniques du cœur, du foie ou des reins, les mécanismes de défense du corps sont compromis et, souvent, l'organisme ne peut métaboliser les médicaments.

Ceci s'applique aussi pour les médecines herboristes. De plus, les conditions mentionnées précédemment comportent des risques plus élevés de souffrir des effets secondaires à la suite de l'utilisation du millepertuis.

Les gens atteints de dermatoses (maladies de la peau) comme le lupus seront beaucoup plus sensibles aux effets de photosensibilisation. Les réactions sévères que subit la peau face au soleil sont souvent des symptômes de ces maladies. Les effets de photosensibilisation du millepertuis risquent d'augmenter l'intensité de ces symptômes.

Même si le millepertuis a démontré un potentiel prometteur pour traiter le cancer, l'hépatite, le sida et la tuberculose, les données accumulées à ce jour sont toutefois insuffisantes pour conclure à son efficacité dans de tels cas. Plusieurs recherches sont en cours, et il sera peut-être bientôt possible de valider les actions thérapeutiques du millepertuis pour ces conditions. Pour l'instant, il est recommandé de poursuivre une thérapie conventionnelle et de n'utiliser la plante que comme complément, avec l'accord du médecin.

UNE DERNIÈRE MISE EN GARDE

La dernière mise en garde a provoqué une vive controverse et a divisé plusieurs chercheurs sur les mécanismes de fonctionnement de l'*hypericum*. Les résultats des premières études sur les propriétés de ses composés chimiques suggéraient que leur action soit semblable à celle des antidépresseurs de la classe des inhibiteurs mono-amino-oxydase (IMAO).

Adoptée il y a un peu plus de 10 ans, cette classe d'antidépresseurs est très efficace mais potentiellement dangereuse. Ils peuvent interagir avec certains aliments et créer des effets secondaires sévères et même fatals. Parmi ces symptômes, on note une augmentation extrême de la pression sanguine, un risque accru de crise cardiaque et le coma. Les gens qui suivent un traitement à l'aide d'antidépresseurs IMAO doivent donc constamment surveiller leur alimentation.

Une longue liste d'aliments, de boissons ainsi que plusieurs médicaments et suppléments alimentaires sont strictement prohibés. Rien pour aider votre moral si vous aimez bien manger!

Des recherches postérieures ont démontré que le mécanisme de fonctionnement du millepertuis était plutôt semblable à celui des antidépresseurs de la classe des inhibiteurs recapteurs de sérotonine (SSRI).

Le Prozac a été le premier représentant de cette classe à être mis sur le marché. Contrairement à leurs prédécesseurs IMAO, ces antidépresseurs n'interagissent pas sur le taux d'acides aminés contenu par le cerveau.

Cette nouvelle approche s'est avérée efficace pour réduire considérablement les effets secondaires, tout en conservant un potentiel curatif appréciable. Un des grands avantages de ces nouvelles thérapies consistait à éliminer les restrictions alimentaires. Cependant, il existe toujours des risques reliés à leur usage.

Les derniers résultats d'études indiqueraient que l'*hypericum* agit à la fois comme un agent IMAO et SSRI. Par contre, les effets secondaires associés aux IMAO seraient moindres. De plus, ils seront atténués si la formulation contient des extraits de l'ensemble de la plante contrairement à un extrait ne renfermant que de l'hypéricine.

Comme on peut le constater, il existe encore beaucoup d'incertitudes entourant le millepertuis. Même si la majorité des chercheurs croient aujourd'hui que les restrictions qui s'appliquent à l'usage des IMAO ne concernent pas l'*hypericum*, la prudence reste de mise.

LISTE DES ALIMENTS PROHIBÉS

À titre de précaution, il serait prudent d'éviter de consommer ce qui suit.

Aliments et boissons

Banane, bière, bouillon de viande, poisson et viande fumée et marinée, fromage fort, vin, soupe en poudre, saucisse, levure, raisin, tomate, avocat, aubergine, produits du soya et yogourt.

Médicaments et suppléments

Médicaments pour les sinus et pour la grippe qui contiennent des décongestionnants nasaux, comprimés pour un régime amaigrissant, certains médicaments pour l'asthme et la fièvre des foins, suppléments d'acides aminés.

Je sais que le contenu de ce chapitre peut sembler alarmiste; en réalité, il en va tout autrement.

Les résultats des recherches, bien que parfois contradictoires, ont prouvé que l'usage du millepertuis à des fins thérapeutiques comporte nettement moins de risques comparativement aux antidépresseurs conventionnels. En fait, les découvertes sur les propriétés de cette plante ont contribué à valider, pour plusieurs, les thérapies herboristes.

CHAPITRE 5

LES SYMPTÔMES ET LES TRAITEMENTS

LA DÉPRESSION

Au cours des dernières années, la dépression est devenue une véritable industrie. On trouve de l'information à ce sujet à peu près partout; des dépliants insérés dans notre quotidien du week-end nous invitent à établir un diagnostic sur notre état émotif. Des autoévaluations accompagnent les méthodes pour arrêter de fumer dans les présentoirs des pharmacies. La profusion de nouvelles thérapies annoncées dans les médias et dans les campagnes de sensibilisation qui suivent automatiquement le suicide d'une personnalité connue, tout cela porte à croire que cette maladie fait partie intégrante de la vie moderne.

Les statistiques semblent donner raison à cette croyance. En effet, bien des gens ont ou vont éprouver des difficultés émotionnelles au cours de leur vie. Mais prenez garde, tous les désordres affectifs ne se traduisent pas automatiquement par un diagnostic de dépression.

Si vous ressentez régulièrement de la fat[illegible]
peut-être que vous gérez mal votre emploi du tem[illegible]

tension. Si vous êtes très attristé par certaines chansons, cela ne veut pas dire que vous êtes dépressif. Ces chansons peuvent être déprimantes et vous y êtes sensible, c'est tout.

Tout comme il existe de nombreux symptômes pour établir un diagnostic de dépression, il existe aussi de nombreuses catégories de dépression. Avant d'établir soi-même que l'on est dépressif après avoir rempli un questionnaire chez le pharmacien ou chez le dépanneur du coin, il serait préférable de consulter un professionnel de la santé.

Un fait à noter: la majorité des autoévaluations distribuées à grande échelle sont produites par des compagnies pharmaceutiques dont le but premier est, bien sûr, de vendre leurs médicaments. La prudence s'impose, car si votre état est mal diagnostiqué, un traitement inadéquat peut aggraver votre condition et même hypothéquer vos chances de guérison dans l'avenir.

La dépression ne se traduit pas simplement par un excès de tristesse ou un manque d'intérêt généralisé. Tout le monde peut, à un moment ou à un autre, éprouver de l'anxiété ou des troubles de sommeil. Le patient souffrant de dépression est surtout atteint dans sa capacité de fonctionner dans la vie de tous les jours.

Il n'existe pas de remède contre la dépression, mais plutôt des traitements qui en soulagent les symptômes et neutralisent les effets combinés sur le cerveau. La science médicale améliore constamment sa compréhension des mécanismes du corps humain, et tous les espoirs reposent sur la recherche. Le millepertuis est certainement un des joueurs qui contribuent à l'ouverture de nouvelles avenues à explorer.

Cette plante a également la chance de bénéficier d'une grande popularité et d'un réel intérêt, car ses propriétés visent à traiter une condition des plus répandues.

La dépression est le troisième trouble mental en importance. Le fait qu'il y ait autant de gens qui en souffrent justifie le grand nombre de recherches pour contrer ses effets. Si le millepertuis n'était efficace que pour traiter une maladie rare, il serait tombé dans l'oubli depuis longtemps.

LES SYMPTÔMES

Avant de passer à la liste des symptômes reliés à la dépression, il importe de définir ce qui peut différencier la dépression d'une simple déprime.

La déprime peut être fréquente. Lorsque l'on vit une épreuve ou subit une perte, il est normal de ressentir une certaine déprime le temps de s'adapter. Souvent, les états d'âme qui accompagnent la déprime sont semblables à ceux de la dépression.

On parle de dépression seulement lorsque ces symptômes persistent et affectent la capacité de fonctionner au quotidien normalement. Les personnes atteintes n'arrivent plus à se reposer et sont incapables de régénérer leur énergie. Il existe aussi plusieurs catégories de désordres affectifs. Voici les différentes formes de dépression les plus courantes.

La dépression masquée

Cette forme de dépression est caractérisée par des symptômes physiques qui ne sont pas accompagnés de tristesse.

La dépression post-partum

Cette affliction est courante chez les femmes qui viennent d'enfanter; 80 % d'entre elles ressentiraient une certaine déprime sur une période de 7 à 14 jours après l'accouchement. Un autre 15 % de ces femmes souffriraient de symptômes plus importants qui nécessiteront des soins professionnels.

Les désordres affectifs saisonniers

Très répandue dans les pays de l'hémisphère Nord, le sentiment d'une baisse d'énergie est ressenti durant les périodes plus courtes d'ensoleillement. Les conditions climatiques peuvent aussi contribuer à créer un sentiment de découragement chez certaines personnes.

La dysthymie

La dysthymie est principalement caractérisée par une très faible estime de soi et une humeur constamment déprimée.

La maniacodépression (maladie bipolaire)

Les symptômes de cette forme de dépression sont accompagnés de périodes d'hyperactivité et de manies (dépenses incontrôlées d'énergie). Cette catégorie exige un traitement différent.

Généralement, les patients seront traités par lithium, car certains effets secondaires des antidépresseurs conventionnels peuvent précipiter des épisodes de manies chez ces patients.

La dépression majeure

Cette condition regroupe plusieurs signes de dépressions auxquels s'ajoutent des pensées suicidaires avec ou sans passage à l'acte.

L'utilisation du millepertuis n'est recommandée que dans les cas de dépression légère, comme les désordres saisonniers, la dysthymie et certains cas de dépression masquée. Il peut aussi convenir aux femmes qui souffrent de dépression post-partum et qui n'allaitent pas. Qu'elles soient légères, moyennes ou graves, toutes ces conditions nécessitent un suivi médical.

Une personne atteinte de dépression subit un dérèglement hormonal. Les taux de neurotransmetteurs qui agissent dans le contrôle des humeurs sont à la baisse. Ces modifications sont responsables des symptômes associés à la dépression. Les antidépresseurs conventionnels agissent en favorisant l'action de ces hormones et en régularisant les désordres biochimiques du cerveau. Trois types de neurotransmetteurs sont associés aux symptômes de la dépression.

- *Sérotonine:* Ce groupe contrôle la volonté et est responsable du sentiment de bien-être;
- *Dopamine:* Celui-ci a une influence directe sur les centres du plaisir;
- *Norépinéphrine:* Les actions de ce groupe ont une influence sur l'énergie physique et l'acuité mentale.

Les symptômes de la dépression

- Anxiété
- Culpabilité
- Difficulté à gérer le stress, à courir des risques
- Difficulté à prendre des décisions, à s'affirmer
- Faible estime de soi
- Hyperactivité
- Hypersensibilité au rejet
- Idées suicidaires
- Impression de vide
- Irritabilité

- Manque de concentration
- Manque d'énergie, fatigue constante
- Perte des capacités des jouissances de la vie
- Perte d'intérêt, léthargie
- Problèmes d'alimentation
- Problèmes de sommeil
- Recherche de l'isolement
- Sentiments de découragement, de désespoir
- Timidité excessive
- Torpeur, apathie
- Tristesse continue

Si vous ressentez quatre ou plus de ces symptômes de façon constante et sur une période excédant 14 jours, il serait préférable de consulter un professionnel de la santé.

LES TRAITEMENTS CONVENTIONNELS

La médecine traditionnelle traite la dépression de trois façons: à l'aide de la psychothérapie, de la chimiothérapie et, parfois, les deux combinés dans un même temps.

La psychothérapie seule peut suffire pour traiter les formes modérées de dépression qui résultent d'un événement qui a affecté notre vie. Les antidépresseurs seront ajoutés au traitement seulement s'il n'y a pas de réponse à l'approche psychologique.

Malheureusement, les antidépresseurs sont trop souvent prescrits sans le soutien de la psychothérapie. Puisque la dépression est causée tant par des facteurs psychosociaux que biochimiques, il est normal d'utiliser ces deux approches pour un traitement efficace. Il existe trois types de psychothérapie pour traiter la dépression.

- *La thérapie psychanalytique:* psychanalyses freudienne, jungienne et analyse bioénergétique;
- *La thérapie behavioriste:* cognitive-behaviorale, émotivo-rationnelle et systémique interactionnelle;
- *La thérapie humaniste:* psychothérapie rogérienne, gelsalt-thérapie, autodéveloppement et psychothérapie corporelle intégrée.

La plupart des psychothérapies pour la dépression sont de courte durée. La moyenne comprend une vingtaine de visites d'une heure, réparties sur une période de deux à trois mois. Passé ce délai, des antidépresseurs seront prescrits s'il n'y a pas d'amélioration dans l'état du patient.

Il existe également des techniques comme l'hypnose, l'analyse transactionnelle, le rebirth et le focusing.

LES ANTIDÉPRESSEURS

Les antidépresseurs ont révolutionné le traitement de la dépression. Grâce à leur grande efficacité, ils réduisent et stabilisent plusieurs symptômes physiques et émotionnels. Il est d'opinion générale que la dépression est en partie causée par un dérèglement de l'équilibre chimique du cerveau, plus particulièrement en ce qui concerne les neurotransmetteurs, responsables de l'acheminement des millions de messages chimiques qui parcourent notre corps.

Voici la liste des antidépresseurs et une brève description de leurs actions.

Les IMAO

Cette classe d'antidépresseurs augmente le taux de sérotonine en inhibant une enzyme nommée monoamine oxydase. Cette enzyme réduit la quantité de sérotonine qui contrôle la stabilité émotionnelle. En ralentissant l'action de l'enzyme, les IMAO permettent une augmentation du taux de sérotonine disponible au cerveau. Plusieurs restrictions sont reliées à leur usage.

Les tricycliques

L'introduction de ces antidépresseurs remonte aux années 1950. Populaires et largement utilisés dans les années 1970 et 1980, ils étaient considérés comme très efficaces pour le traitement de dépressions qui entraînaient une perte de poids, un profond sentiment de découragement et la perte des capacités à éprouver du plaisir.

Les tricycliques agissent en augmentant le taux de dopamine et de norépinéphrine, deux neurotransmetteurs responsables de la régularisation des systèmes nerveux et cardiaque. Malheureusement, ces antidépresseurs occasionnaient de graves effets secondaires: des troubles d'ordre sexuel, de confusion, de vision, d'arythmie cardiaque et de basse pression ont été associés à son usage.

Les SSRI

Voici les derniers-nés des antidépresseurs. Le Prozac a grandement popularisé cette classe de médicaments. Les SSRI agissent en calibrant le taux de sérotonine sans affecter les autres neurotransmetteurs. Bien que les effets secondaires de ce type de médicament soient moindres que les tricycliques, ils sont toujours présents.

Des problèmes d'insomnie, de perte de poids subite, d'impotence et de diarrhées lui sont attribués. De plus, ils sont déconseillés pour les personnes âgées qui souffrent de problèmes de reins ou de foie.

Autre inconvénient, ces médicaments ne fonctionnent pas pour plusieurs formes de dépression. Ils seront prescrits surtout pour des troubles compulsifs du comportement comme la boulimie. Ils ont aussi une présence prolongée dans l'organisme.

LA DURÉE DE LA CHIMIOTHÉRAPIE

Que ce soit à l'aide d'un médicament conventionnel ou d'une herbe médicinale, le traitement prescrit pour une première dépression durera de six à neuf mois.

Un deuxième épisode exigera une thérapie pouvant s'étaler sur une période de 12 à 24 mois. Un traitement continu est suggéré à ceux qui ont vécu trois épisodes et plus.

Les antidépresseurs sont des médicaments qui agissent lentement. Il faut habituellement une période de quatre à six semaines avant d'en ressentir les effets. Même si, au début, le traitement semble inefficace, il est important de poursuivre afin d'en retirer les bienfaits.

Il est également essentiel de continuer la thérapie même si les symptômes ont disparu, pour éviter les rechutes et leur réapparition subite. La persévérance a des effets bénéfiques, car de 60 % à 80 % des épisodes dépressifs disparaîtront après quelques mois. À la fin du traitement, la posologie est réduite graduellement de façon à conserver le nouvel équilibre établi.

L'un des plus grands obstacles à l'efficacité du traitement de la dépression est que les gens ont tendance à cesser de prendre leurs médicaments dès qu'ils se sentent mieux. Toute forme de traitement doit être suivie par un médecin, qui est le seul à pouvoir déterminer avec certitude si les effets recherchés sont atteints. De plus, comme nous l'avons vu, le traitement de la dépression doit être doublé d'une psychothérapie de soutien.

Lorsque le temps sera venu de réintégrer ses fonctions dans la vie de tous les jours, des mesures simples comme une meilleure gestion du temps peuvent améliorer de manière significative la qualité de vie. L'exercice, les loisirs et le plaisir de vivre sont des éléments importants pour conserver un bon équilibre. La qualité de vie est construite sur une quantité de détails qui ont tous une influence sur notre façon d'être.

LA PRÉVENTION

La vie moderne nous apporte constamment de nouvelles contraintes auxquelles il faut s'adapter. Par exemple, de récentes études sur l'utilisation des nouvelles technologies ont démontré l'existence d'un nouveau phénomène. En effet, les personnes qui travaillent toute la journée sur un ordinateur et passent leurs soirées sur Internet doivent absorber tellement d'informations que cela peut occasionner des problèmes de concentration accompagnés de symptômes physiques. Serait-ce l'avènement de la dépression informatique?

Le stress

Tout comme nous pouvons contrôler la quantité d'informations que nous voulons bien recevoir, il est possible de gérer le stress, en débutant par les priorités que l'on établit pour soi-même. Il est important de prendre le temps de se détendre, de s'accorder du plaisir et des périodes de loisirs.

Souvent, nos ambitions personnelles et professionnelles font en sorte que la barre est haute et qu'il faut constamment donner son maximum pour atteindre nos objectifs. Combien de fois avez-vous entendu quelqu'un avouer, après qu'il a souffert d'épuisement professionnel, «d'avoir brûlé la chandelle par les deux bouts»? Cette «barre» doit être abaissée lorsque c'est trop exigeant. Il faut quand même conserver ses ambitions, car la perte d'idéal peut causer une dépression situationnelle.

L'organisation du travail est aussi un facteur important. Une mauvaise gestion du temps catalyse le stress. L'impact social est impressionnant; en 1997, près de 500 000 Québécois se sont absentés de leur travail au moins une journée. Ceci est dû à l'épuisement professionnel causé par le stress et par une mauvaise organisation du travail. Les pertes de revenu qui en découlent sont estimées à six milliards de dollars.

Plusieurs grandes entreprises reconnaissent que le stress a une incidence globale sur les performances de leur personnel. Aux États-Unis, une nouvelle méthode pour contrer ses effets est présentement mise sur pied.

Il s'agit simplement d'accorder deux courtes périodes de sommeil durant la journée de travail. Ces deux épisodes de 10 minutes suffisent pour libérer le stress et pour recharger les «batteries». Les entreprises qui appliquent cette technique ont vu une nette amélioration du rendement de leurs employés et de la santé de ceux-ci.

Le divertissement a également un impact important dans la qualité de vie. L'expansion constante de l'industrie du rire, depuis les dernières années, démontre bien le besoin d'alléger le quotidien que ressentent plusieurs d'entre nous. Le rire est un excellent exutoire pour le stress et pour les tracas. Il est même recommandé de rire au moins 10 minutes par jour pour conserver un bon équilibre émotionnel.

N'attendez pas!

Des relations d'aide sont offertes pour pallier plusieurs situations comme la violence au foyer, l'endettement chronique et les abus sexuels. Ces phénomènes sont très présents dans notre société. Il ne faut pas hésiter à faire appel à ces ressources, car de telles situations sont des conditions idéales pour développer la dépression et d'autres problèmes de santé. Il existe également des groupes de discussion qui peuvent aider à briser l'isolement qui entraîne souvent un sentiment de déprime.

Ésotérisme expérimental?

Plusieurs techniques de méditation et de relaxation sont proposées afin de pouvoir mieux contrôler ses émotions. Les religions diverses peuvent parfois apporter certaines réponses à notre recherche du bien-être intérieur.

Par contre, il faut être très prudent lorsqu'on décide d'y adhérer, surtout lorsque l'on se sent vulnérable. Il a souvent été rapporté que des gens en recherche de soutien moral ont abouti dans une secte ou une forme d'exploitation pire encore. Ne permettez à personne de devenir votre gourou!

Sans adopter une religion et ses coutumes, il est possible de pouvoir retirer les bienfaits de certaines philosophies qu'elles englobent.

Par exemple, parmi les doctrines fondamentales du bouddhisme japonais (*soga gakai*), il est particulièrement important de reconnaître les états émotionnels et spirituels de l'être que nous sommes. On doit apprendre aussi à mieux appréhender les causes de ces états. Un autre principe de base consiste à ne jamais laisser notre bonheur personnel dépendre de quoi que ce soit extérieur à nous.

Il n'est pas nécessaire de brûler de l'encens et de réciter le mantra du lotus pour pouvoir appliquer ces principes. Être plus à l'écoute de soi-même ne peut qu'apporter une meilleure conscience de ce qui nous affecte; se responsabiliser en prenant le contrôle de notre évolution ne peut que valoriser notre existence.

Ce qui importe de ne pas perdre de vue est qu'il y a toujours du positif dans tout et pour tous.

Protégez-vous!

L'environnement qui nous entoure a aussi son importance. Nous sommes constamment exposés à des facteurs qui ont une incidence sur notre santé.

Un niveau de bruit constant et supérieur à 60 décibels ainsi que certaines fréquences, par exemple, auront une action néfaste sur le système nerveux.

Les matériaux qui composent certains meubles et laminés ainsi que les colles pour tapis dégagent du formaldéhyde. Cet élément chimique est reconnu pour sa toxicité, qui peut occasionner des problèmes de concentration et des dommages physiques permanents.

Les problèmes de santé causés par le *smog* des grandes villes et d'autres sources de pollution sont également responsables de plusieurs maux. Tous ces facteurs font en sorte que notre système immunitaire est constamment appelé à nous défendre.

Malheureusement, c'est une bataille que nous perdons quotidiennement. Pourtant, des moyens existent pour que nous puissions améliorer nos conditions de vie. Il suffit de se responsabiliser personnellement et collectivement.

Développer un meilleur respect de la vie sous toutes ses formes, valoriser l'importance de chaque détail de notre existence, changer ses habitudes de consommation: tout cela peut grandement contribuer à l'amélioration globale de notre qualité de vie.

Il reste, bien sûr, beaucoup d'autres causes à la dépression et on ne peut pas en guérir que par la pensée positive.

Tant que de nouvelles solutions ne seront pas disponibles, les traitements actuels auront leur utilité. Et la prévention restera toujours le meilleur remède!

CHAPITRE 6

SE SOIGNER AVEC LE MILLEPERTUIS

Ce chapitre propose de voir comment le millepertuis peut être utilisé pour soulager les symptômes de la dépression ainsi que différentes conditions médicales.

Encore une fois, peu importe le traitement que vous choisissez, il est primordial de consulter un professionnel de la santé, car lui seul peut garantir que vous disposez de toutes les conditions gagnantes pour accéder à votre indépendance émotionnelle.

LE TRAITEMENT DE LA DÉPRESSION

Selon les plus récentes données disponibles à ce jour, les doses recommandées pour un traitement optimal de la dépression légère et moyenne sont:

- *sous forme de comprimés:* 300 mg d'extrait standardisé à 0,3 % d'hypéricine, trois fois par jour avec les repas;
- *extraits liquides:* 20 gouttes d'extrait standardisé à 0,3 % d'hypéricine, avec une proportion d'extraction de 1/1, trois fois par jour à l'heure des repas.

Comme il est mentionné dans le chapitre 3 (voir à la page 41), ces mesures peuvent être modifiées selon la réponse de l'organisme. La durée du traitement ne doit pas s'étendre sur une période de plus d'une année.

Tout comme les antidépresseurs conventionnels, les effets du millepertuis prendront quelques semaines avant d'atteindre leur plein potentiel. Toutefois, certains effets pourront être ressentis après seulement une semaine de traitement. Voici ceux qui sont le plus couramment rapportés au début du traitement.

La première semaine

On note une amélioration du cycle de sommeil. Contrairement aux antidépresseurs conventionnels, l'*hypericum* n'a pas d'incidence sur l'intensité des rêves. Un sommeil profond et régénérateur est donc plus rapidement accessible.

La deuxième semaine

Une hausse du niveau d'énergie est généralement ressentie à cette période du traitement. L'état de fatigue constante fait place graduellement à un état plus reposé.

Les problèmes d'appétit se régularisent aussi après ce délai. Selon les désordres éprouvés, soit que l'on retrouve l'appétit, soit que les excès compulsifs (boulimie) disparaissent.

La troisième semaine

Le sentiment de déprime qui accompagne la dépression fait place à un état de bien-être. Le patient est plus apte à faire face à la situation et peut maintenant prendre des décisions éclairées.

Ces améliorations ne sont peut-être pas attribuables uniquement à l'action du millepertuis. À partir de l'instant où on peut se reposer convenablement, le système immunitaire permet à l'organisme de reconstruire ses forces. Un sentiment de bonne forme physique et de santé est une conséquence de ce retour à la normale.

Il est également possible que ces gains soient causés par les actions antivirales et antibiotiques de la plante, qui ont pour effet de rehausser les capacités immunitaires du système.

LES DÉSORDRES SAISONNIERS

Les symptômes associés aux désordres saisonniers sont semblables à ceux de la dépression. Ils coïncident avec l'arrivée de l'automne et de l'hiver. Il est admis que ces symptômes sont causés par la diminution des heures d'ensoleillement.

Le traitement de cette condition est le même que pour la dépression: 900 mg par jour en comprimés et 3 à 4 ml (¾ c. à thé) en extrait liquide.

Ces doses sont recommandées pendant six mois. Puisque les effets du millepertuis prennent de quatre à six semaines pour atteindre leur plein potentiel, il est conseillé de commencer le traitement dès le mois de septembre. Ceci permettra de bénéficier des effets thérapeutiques de la plante lorsque la photopériode s'écourtera.

Il existe une autre méthode pour contrer les désordres saisonniers: la photothérapie. La photothérapie a récemment été suggérée comme nouvelle approche pour combler cette carence. Elle consiste à s'exposer, chaque jour, pour une durée de 30 à 120 minutes par session, aux rayons d'une lumière artificielle qui émet les mêmes spectres de lumière que le soleil.

Certains fluorescents ou des lampes au gaz de type métal halide, par exemple, émettent une gamme de rayons qui passent de l'ultraviolet à l'infrarouge.

Cette thérapie est trop récente pour qu'il y ait suffisamment de données accumulées afin d'établir son efficacité et les effets à long terme.

Par contre, certains inconvénients et même quelques effets secondaires (incluant des maux de tête, des désordres du sommeil et de l'irritabilité) ont déjà été rapportés à la suite de son usage à court terme.

Un autre inconvénient reproché à cette thérapie est qu'elle exige de disposer d'assez de temps libre pour s'y soumettre, ce qui n'est pas donné à tous.

Cette technique comporte aussi une possibilité d'interaction avec les effets de photosensibilisation du millepertuis. Les rayons ultraviolets dégagés par ces lampes peuvent être nocifs pour la peau. Si vous y êtes sensible, il est préférable de s'abstenir d'utiliser cette méthode.

En Allemagne, en 1994, une étude a été menée sur deux groupes de patients qui étaient traités à l'aide du millepertuis pour des désordres saisonniers. En plus de la dose normale de 900 mg par jour, un des groupes a aussi bénéficié d'une photothérapie, alors que l'autre groupe était exposé à une lumière normale sans propriétés thérapeutiques.

Après une période de deux semaines, les deux groupes ont démontré une amélioration égale de leurs conditions. Il est donc inutile de combiner les deux traitements.

LES SYMPTÔMES PRÉMENSTRUELS

Les symptômes prémenstruels affectent la plupart des femmes. Au cours de leur vie, 9 femmes sur 10 ressentiront des symptômes de légère ou de moyenne intensité. D'autres vivront des malaises plus intenses de façon chronique et régulière.

Une à deux semaines avant la période des menstruations, une multitude de manifestations accompagnent un changement hormonal important. Ces symptômes sont très variés et peuvent affecter plusieurs fonctions corporelles.

Voici les conditions plus fréquemment diagnostiquées: anxiété, nervosité, gonflement et sensibilité accrue des seins, maux de tête, rétention des fluides, problèmes gastro-intestinaux, tristesse et colère subites, étourdissements, problèmes de peau, enflures des mains et des chevilles, crampes, fatigue extrême, saignements, changements importants de la libido, problèmes de sommeil.

Le système immunitaire est aussi affaibli. Les femmes qui vivent ces symptômes sont donc plus vulnérables aux infections virales et développent également une plus grande sensibilité aux effets de l'alcool.

Les changements hormonaux affectent surtout les taux d'œstrogène et de progestérone. Ces hormones ont une action directe sur les systèmes nerveux, cardiovasculaire, digestif et reproducteur. On note aussi une augmentation de la production de prostaglandine. Cette substance produite par le corps est véhiculée par le système sanguin et a de nombreux effets sur le métabolisme. Elle est responsable, entre autres, des modifications du rythme cardiaque et de la pression sanguine, de la stimulation des intestins et de la tonification des muscles de l'utérus. De plus, elle inhibe l'action de certains neurotransmetteurs tels que l'épinéphrine et le norépinéphrine, deux joueurs importants dans le contrôle des humeurs.

D'autres facteurs comme le stress, la diète et le style de vie peuvent avoir une incidence sur les symptômes prémenstruels.

Il n'existe pas de traitement spécifique pour soulager cette condition. Des tranquillisants, des contraceptifs ou des médicaments diurétiques peuvent être prescrits à l'occasion.

Certains suppléments vitaminés peuvent aussi être utiles pour soulager quelques symptômes: les vitamines A et D pour les problèmes de peau, les vitamines C et E pour le stress émotionnel et physique, et la vitamine B_6 pour rehausser le niveau d'énergie.

Éviter le stress, le sel, le café et l'alcool est aussi recommandé pour les femmes qui éprouvent ces symptômes plus intensément.

L'*hypericum* est utilisé depuis des siècles pour son efficacité à traiter ces malaises féminins. En médecine herboriste traditionnelle, cette plante est considérée comme emménagogue; elle régularise les menstruations en stimulant les tissus de l'utérus de façon à augmenter l'écoulement menstruel.

Bien qu'il n'y ait pas eu d'études spécifiques sur l'action du millepertuis pour traiter cette condition, il est logique d'assumer que certaines de ses propriétés peuvent en diminuer les symptômes. Les propriétés astringentes et diurétiques stimulent le système urinaire, ce qui permet de réduire la rétention, les enflures et les gonflements ainsi que la diarrhée. Les actions analgésiques, sédatives et anti-inflammatoires soulagent les maux de tête, les douleurs du ventre et des seins.

La stimulation du système immunitaire et la régularisation hormonale s'appliquent contre les infections et les sautes d'humeur.

Le millepertuis a également une action tonique qui fortifie les tissus et les organes du système reproducteur. De plus, un de ses ingrédients actifs, le bêta-sitostérol, constitue un agent œstrogène qui régularise l'équilibre hormonal.

Le traitement doit débuter deux semaine après le premier jour des menstruations et cesser au début de la période de menstruations suivante.

La posologie normale est recommandée, soit 3 comprimés de 300 mg ou 20 gouttes d'extrait liquide avec les repas trois fois par jour. Ces extraits doivent être standardisés à 0,3 % d'hypéricine.

Il se peut qu'il soit nécessaire de recommencer ce cycle de traitement sur une période de deux à trois mois avant de ressentir les pleins effets du millepertuis sur les symptômes. Cette méthode est considérée comme très sûre, car cette consommation intermittente ne permet qu'une faible accumulation d'hypéricine dans l'organisme. Les risques d'effets secondaires sont donc pratiquement nuls. Il faut cesser le traitement immédiatement si l'on ressent quand même des inconvénients.

Ce traitement peut aussi soulager les douleurs abdominales et les contractions qui surviennent durant les menstruations.

L'INSOMNIE

L'insomnie est le désordre du sommeil le plus répandu. Près du tiers des gens peuvent éprouver ce problème à une époque ou à une autre de leur vie. Les besoins en sommeil varient énormément d'une personne à l'autre. Certaines auront pleinement récupéré après seulement cinq heures de sommeil, alors que d'autres auront besoin de huit heures ou plus pour se sentir reposées.

Le sommeil est une fonction vitale à l'organisme, qui en dépend pour se régénérer et se guérir des traumatismes physiques et environnementaux éprouvés durant la journée. Le sommeil et les rêves sont aussi essentiels pour l'équilibre mental. Une personne privée de sommeil ou qui verra ses rêves interrompus constamment montrera rapidement des signes de comportement psychotique.

Il existe même des cures de sommeil qui sont utilisées en psychiatrie pour traiter certains épisodes aigus. Les patients sont alors placés dans un sommeil plus ou moins profond, maintenu artificiellement par des psychotropes.

Dans certaines cliniques spécialisées, cette thérapie du sommeil est aussi utilisée pour éliminer le stress. Un sommeil continu, sur une période d'une à deux semaines, serait efficace à 100 %.

Les cycles du sommeil sont caractérisés par deux états qui s'alternent régulièrement au cours de la nuit. Alors que les fonctions corporelles réduisent leurs activités, la réponse aux stimulus extérieurs s'efface graduellement pour faire place à un sommeil de plus en plus profond.

Vient ensuite la période de rêve, caractérisée par le mouvement rapide des yeux sous les paupières. Les rythmes cardiovasculaires vont aussi accélérer à ce stade du sommeil. Ces épisodes surviennent généralement après 60 ou 90 minutes de sommeil. Leur durée sera de 5 minutes au début de la nuit pour atteindre près de 30 minutes vers la fin du sommeil. Ceci peut expliquer pourquoi il est plus facile de se souvenir des rêves qui ont précédé le réveil. Ces périodes avec et sans rêves constituent un cycle de sommeil complet.

Les personnes qui éprouvent les symptômes de l'insomnie sont incapables d'atteindre un sommeil suffisamment profond pour faire un cycle complet. On reconnaît l'insomnie à la difficulté régulière de s'endormir, les réveils fréquents au cours de la nuit et un sentiment de fatigue dès le réveil.

Ces symptômes ont un impact direct sur le comportement et sur la qualité de vie, et sont accompagnés de plusieurs affections. Les plus courantes sont l'anxiété, la fatigue, des problèmes de concentration et de mémoire, de la somnolence et un besoin de prendre des siestes durant la journée.

Il peut être normal d'éprouver de temps à autre des problèmes de sommeil; s'ils ne sont que d'une courte durée, ils se résorberont d'eux-mêmes. Par contre, une thérapie peut être nécessaire si la difficulté de dormir persiste au-delà d'une semaine.

L'insomnie devient chronique après une période de trois semaines et n'est soignée que par un traitement exigeant tant sur le plan physique qu'émotionnel.

Une série de moyens simples et pratiques peuvent servir à mieux dormir. On peut prendre un bain chaud, compter les moutons ou boire du lait chaud. Réduire sa consommation de caféine et de cigarettes, et faire de l'exercice peuvent aussi avoir un effet direct sur la qualité du sommeil. Bien sûr, ces moyens sont plus ou moins efficaces et ne s'appliquent qu'aux problèmes de courte durée.

Les somnifères et les sédatifs peuvent être utilisés sur une très courte période, et seulement lorsque les problèmes persistent et sont considérés comme graves. Leur usage régulier exige des doses sans cesse supérieures. Ils occasionnent également une sérieuse dépendance. Ces drogues ne sont recommandées qu'en dernier recours.

Les propriétés thérapeutiques du millepertuis sont indiquées pour contrer les inconvénients de l'insomnie. Depuis longtemps, son action sédative sur le système nerveux est connue et utilisée pour traiter cette carence de sommeil.

De plus, les recherches sur le traitement de la dépression ont démontré les effets positifs de cette plante sur les symptômes de fatigue et d'anxiété.

En octobre 1994, le *Journal of Geriatric Psychiatry and Neurology* faisait état d'une étude qui s'est concentrée spécifiquement sur l'utilisation du millepertuis pour favoriser le sommeil. Au cours de cette étude, 12 sujets, qui ont pris un extrait standard d'hypéricine durant quatre semaines, ont manifesté une nette amélioration de la qualité et de la profondeur de leur sommeil.

D'autres recherches, à l'aide d'électro-encéphalographies, ont noté une augmentation des ondes cérébrales thêta chez des patients qui prenaient des extraits d'hypéricine. Ces ondes sont associées au sommeil et à la méditation.

Il est important, encore une fois, de mentionner qu'avant d'entreprendre un traitement, il est indispensable de consulter un professionnel de la santé. Les symptômes de l'insomnie peuvent masquer ceux d'une dépression légère ou moyenne. Si c'est le cas, il faudra traiter la dépression en priorité.

Les problèmes de sommeil de courte durée peuvent être résolus à l'aide d'une infusion. Des thés ou des tisanes doivent être consommés trois ou quatre fois par jour entre les repas. Ce traitement peut durer d'une à deux semaines. Si les symptômes persistent, il faut suivre un traitement adapté pour l'insomnie chronique.

Le traitement pour l'insomnie chronique consiste à prendre la posologie habituelle (300 mg d'extrait à 0,3 %, trois fois par jour en comprimés ou 20 gouttes d'extrait liquide à 0,3 %, trois fois par jour) pendant quatre semaines.

Après ce délai, si les symptômes de l'insomnie ont disparu, le traitement se poursuit à l'aide d'une infusion à l'heure du souper et une autre, une heure avant le coucher, afin de conserver les effets pour un certain temps. Vous trouverez quelques recettes d'infusion au chapitre 11 (voir à la page 135).

Si les symptômes de l'insomnie se manifestent de nouveau, il sera nécessaire de consulter un médecin.

LES INFECTIONS VIRALES

Depuis 30 ans, les propriétés du millepertuis pour combattre les infections sont à l'étude. Les résultats de son action sur le système immunitaire sont parmi les découvertes les plus surprenantes que l'on ait faites sur cette plante.

Les potentiels antiviraux de l'hypéricine et du pseudohypéricine, les composés chimiques les plus actifs du millepertuis, ont comblé les attentes de plusieurs virologistes. En effet, ces ingrédients semblent posséder une grande efficacité à mettre hors d'état certains des virus les plus destructeurs.

Les virus ne sont pas vivants et ne peuvent produire aucun effet ni même survivre sans une cellule hôte. Ces cellules sont soit détruites, soit transformées par leur présence.

Ils peuvent aussi rester en état de dormance durant plusieurs années avant de s'activer, comme dans le cas du virus VIH responsable du sida. Les virus sont des germes pathogènes qui s'infiltrent dans le corps par les voies respiratoires et sanguines.

Les virus sont composés d'un noyau d'acide nucléique (ADN) et d'une membrane de protéine. C'est la présence de cette protéine qui stimule la production des anticorps qui, eux, vont s'appliquer à combattre exclusivement le virus responsable de leur présence.

Dès que cette activité est détectée par l'organisme, celui-ci fera appel aux ressources du système immunitaire. Les cellules infectées produiront alors une substance protéique nommée interféron. Cette substance s'attache aux cellules en santé afin de les rendre plus résistantes à toute autre infection virale. Le corps se protège ainsi d'éventuelles invasions sous d'autres formes afin de concentrer ses ressources pour éliminer l'infection première.

Contrairement à la grande panoplie d'antibiotiques dont nous disposons pour combattre les bactéries, il existe peu d'armes pour manœuvrer dans cette bataille contre les virus. L'arrivée d'un nouvel allié dans ce combat est accueillie avec soulagement.

Des recherches sur les propriétés antivirales de l'hypéricine ont révélé des résultats surprenants. Une version synthétique de cet élément chimique a démontré deux mécanismes de fonctionnement.

Dans un premier temps, l'hypéricine, tout comme l'interféron, protège les cellules en santé d'une éventuelle infection et, en second lieu, elle désactive totalement les virus. Il reste toutefois un mystère: comment cette dernière action se produit-elle? Cette question ne sera résolue que par de nouvelles études, qui ont été relancées à la suite de ces nouvelles données.

Ces actions ont été observées *in vitro* au cours d'une étude qui visait à déterminer les propriétés du millepertuis contre les virus suivants:

- hépatite C;
- influenza A et B;
- Epstein-Barr;

- VIH;
- stomatite vésiculaire;
- anémie infectieuse (maladie contagieuse des chevaux causée par un ultravirus).

Il a été nettement établi que l'hypéricine et le pseudohypéricine possèdent un potentiel énorme pour combattre ces virus. Bien qu'il reste à prouver hors de tout doute que cette efficacité peut s'appliquer de manière concrète, les signes sont des plus prometteurs.

Les recherches actuelles sur de nombreux sujets atteints du sida ou de l'hépatite pourront confirmer bientôt si les attentes sont comblées. D'ici là, la prudence s'impose.

Il ne faut en aucun cas substituer le millepertuis à un autre traitement. À la rigueur, il peut être administré en tant que complément, avec l'accord de votre médecin.

Il est quand même possible d'affirmer que l'usage du millepertuis peut soulager en tout ou en partie des symptômes d'affections de moindre importance comme le rhume et la grippe.

Le traitement de ces malaises peut se faire à l'aide d'une formulation plus douce que les extraits standards. Une infusion concoctée avec l'ensemble des parties de la plante est conseillée pour cet usage (voir à ce sujet le chapitre 11, à la page 135), ce qui permet de bénéficier du plein potentiel thérapeutique de tous les ingrédients actifs.

Dans le cas de simples malaises comme la grippe, le millepertuis peut être consommé selon le besoin. Au début des symptômes, la consommation d'une à trois tasses par jour durant une semaine devrait suffire à améliorer votre état. Il ne faut tout de même pas négliger les bienfaits d'une bonne nutrition et de l'apport de vitamine C ainsi qu'un peu d'exercice physique.

Le millepertuis ne doit pas être consommé de façon préventive. Il n'existe pas de preuves cliniques d'effets antiviraux cumulatifs. Seulement, le traitement de la dépression exige une utilisation continue. Même les anciens herboristes ne recommandaient pas son usage quotidien.

LA PERTE DE POIDS

Les nombreuses actions du millepertuis peuvent occasionner des effets secondaires bénéfiques. Il a été suggéré que son usage puisse aussi entraîner une perte de poids. Toutefois, cela ne veut pas dire qu'il peut être utilisé comme cure d'amaigrissement.

Il est vrai que des pertes de poids significatives ont été rapportées au cours de nombreuses études. Selon les résultats d'une étude publiée en 1998 par le *New York Obesity Research Center*, ces effets pouvaient également être le résultat d'une amélioration globale de l'état des patients qui souffraient de dépression.

Toute forme de régime doit être supervisée, car une perte de poids subite entraîne toujours des changements métaboliques. À cette condition, le millepertuis peut être envisagé comme soutien à une diète. Ses effets toniques sur le système immunitaire peuvent rétablir les courants hormonaux qui régissent l'appétit. Son action relaxante peut également réduire le stress qui accompagne souvent un changement de régime alimentaire.

Il est très important de consulter un médecin, surtout si d'autres médications sont intégrées à votre diète, afin d'éviter les interactions qui pourraient se produire entre les ingrédients consommés.

L'obésité chronique (excédent de 9 kg [20 lb] et plus) est directement et indirectement reliée aux maladies mortelles les plus courantes du XXe siècle: les maladies cardiaques, le diabète et le cancer.

AUTRES APPLICATIONS

Comme il a été démontré grâce aux recherches sur ses ingrédients actifs, le millepertuis possède plusieurs facultés thérapeutiques. Nous terminons ce chapitre avec un bref retour sur celles-ci.

Les propriétés analgésiques

De nos jours, les herboristes tiennent en haute estime les capacités de cette plante pour soulager les maux de tête chroniques et les douleurs causées par les maladies qui affectent le système nerveux. Une utilisation topique est efficace pour soulager les douleurs musculaires.

Les propriétés antibiotiques

Dans le passé, ces propriétés ont contribué à soigner les plaies ouvertes et les infections bactériennes. Aujourd'hui, on trouve plusieurs des composants du millepertuis dans de nombreux produits de premiers soins et crèmes d'usage topique.

Les propriétés anti-inflammatoires

Ces propriétés permettent une réduction de l'inflammation des tissus, ce qui permet, à son tour, une meilleure circulation et une diminution de la douleur. L'hypéricine est un ingrédient listé dans la composition de plusieurs crèmes d'usage topique et autres produits qui soulagent «là où ça fait mal».

L'application cardiovasculaire

Selon une autre étude effectuée en 1991, un ingrédient actif du millepertuis, la proanthocyanidine, agirait sensiblement comme la nitroglycérine lors d'une crise d'angine. Cet élément chimique préviendrait les spasmes coronariens qui surviennent durant ces attaques.

L'anorexie

L'anorexie est un problème sérieux. La perception négative de soi-même ou la difficulté de s'identifier à l'idéal qui est projeté dans notre société incitent plusieurs personnes à prendre des moyens draconiens pour maigrir. Par un refus actif ou passif de nourriture, elles mettent souvent leur santé en danger. L'anorexie peut également témoigner de graves perturbations des relations affectives. Le millepertuis pourrait servir de traitement de soutien conjointement à une psychothérapie.

Un tonique pour la mémoire?

Selon des recherches de l'Institut universitaire de gériatrie de Montréal, la fatigue, le surmenage, le stress et l'anxiété peuvent affecter la mémoire.

Il est logique de présumer que les propriétés du millepertuis pour soulager ces symptômes peuvent possiblement contribuer à conserver la pleine capacité de nos facultés mémorielles.

CHAPITRE 7

LES FORMULATIONS COMMERCIALES

LES EXTRAITS STANDARDS

Comme on l'a mentionné dans les chapitres précédents, différentes formes de millepertuis sont offertes sur le marché. Il est important de comprendre comment ces produits sont classifiés et quels sont les critères de sélection à suivre lors de leurs achats.

Les extraits standardisés contiennent l'ensemble des éléments actifs de la plante. Toutefois, seule la présence d'un de ces éléments est assurée en quantité vérifiable. Dans le cas du millepertuis, il s'agit de l'hypéricine qui doit se trouver à un taux de 0,3 %.

Pour atteindre ce dosage, les fabricants doivent soit concentrer la teneur de l'ingrédient actif lorsqu'elle est trop faible, soit la diluer si elle est trop forte. Cette étape est cruciale pour assurer la production d'un produit standard et à dose efficace.

Le problème réside dans le fait que les teneurs en ingrédients actifs varient énormément d'une récolte à l'autre.

En horticulture, les résultats des efforts reposent sur une grande quantité de paramètres incontrôlables. Les conditions ambiantes sont responsables du développement de la plante dans toute son intégrité. Tout comme la qualité d'un bon vin dépendra d'une multitude de facteurs environnementaux, les propriétés d'une plante médicinale sont grandement affectées par les conditions climatiques.

La température moyenne, la durée d'ensoleillement, l'humidité relative, la quantité d'arrosage mais aussi la structure du sol et son degré d'acidité, l'altitude, la qualité de l'eau de pluie et l'âge de la plante sont tous des facteurs qui influent sur la présence et sur la qualité des ingrédients actifs.

Les grandes compagnies doivent prendre ces facteurs en considération. Des tests doivent être effectués sur chaque récolte avant l'achat. On vérifiera la quantité d'un des ingrédients qui, par sa présence, servira de marqueur afin d'établir la présence des autres éléments. Par ailleurs, on a souvent reproché à ces tests de ne pas être faits sur une base régulière par tous les fabricants.

Un des indices de qualité d'un produit est la présence d'un DIN (Drug Identification Number) sur l'étiquette. Ceci vous assure que vous achetez bien des extraits de la plante en question, et non pas du gazon en poudre. Au Québec, près de 450 plantes sont utilisées en phytothérapie. Seulement une faible proportion d'entre elles sont approuvées par un DIN.

Santé Canada, qui réglemente les médicaments, considère les produits d'herboristerie d'allégeance thérapeutique comme des drogues.

Pour obtenir un numéro d'identification, le fabricant doit faire approuver l'ensemble de son procédé de fabrication par la Direction générale de la protection de la santé. En plus d'assurer des critères de fabrication élevés, le DIN permet aussi d'inscrire les indications sur l'étiquette. Si un traitement herboriste n'est pas accompagné de ce permis, il ne peut prétendre à une allégeance médicale. Il sera distribué comme supplément alimentaire. Cette autre catégorie de produits est réglementée par l'Agence canadienne de l'inspection des aliments.

Il existe aussi plusieurs avantages à utiliser un extrait qui contient l'ensemble des ingrédients actifs de la plante. Certaines associations entre ces ingrédients vont contribuer à diminuer les effets secondaires. Sans ces «adoucisseurs» naturels, l'organisme risque davantage d'être déstabilisé et de mal réagir.

De nos jours, le millepertuis est offert sous de nombreuses formes: extraits liquides en ampoules ou en teinture, comprimés, tablettes, poudre en gélules, crèmes et lotions. Toutes ces formulations sont en vente dans des boutiques spécialisées ou en pharmacie, et même dans les magasins à grande surface.

Les qualités thérapeutiques varient beaucoup d'une forme à l'autre. L'utilisation d'une forme particulière peut être recommandée pour un traitement spécifique. D'autres critères comme la disponibilité, la facilité de consommation et la durée de vie du produit sont des facteurs à considérer lors de l'achat.

Voici maintenant les principales formulations et leurs particularités.

LES EXTRAITS LIQUIDES

Cette forme est privilégiée par les herboristes, car elle préserve mieux les propriétés thérapeutiques des ingrédients. Si les extraits liquides sont entreposés dans de bonnes conditions, ils conserveront leur potentiel une dizaine d'années.

L'utilisation de cette forme comporte également plusieurs avantages: sa plus grande concentration permet une consommation en plus petites quantités, ce qui réduit les effets secondaires.

Elle permet une plus grande vitesse d'assimilation par l'organisme en atteignant le système circulatoire plus facilement; ses effets sont alors ressentis plus rapidement.

Cette forme liquide est plus facile à consommer de différentes façons. Elle peut être administrée en gouttes sur ou sous la langue pour une assimilation plus rapide. Elle se dilue instantanément dans un verre d'eau de source ou dans un thé d'herbes sans perdre son potentiel. Il est également plus facile de modifier le dosage par le nombre de gouttes, ce qui est plus économique à long terme.

Paradoxalement, son coût initial compte parmi les désavantages de cette formulation. Un autre inconvénient est que l'odeur et le goût sont plus prononcés que les comprimés.

Bien que l'essence du millepertuis soit douce comparée à d'autres plantes médicinales, cela peut incommoder certaines personnes. Les meilleurs extraits liquides sont produits avec de l'alcool, ce qui occasionne parfois des problèmes gastriques chez certaines personnes.

Le potentiel thérapeutique des extraits liquides varie énormément d'une marque à l'autre. La consommation recommandée peut fluctuer entre 60 et 200 gouttes par jour, selon le produit et le ratio des solvants utilisés pour leur fabrication.

Les proportions standards utilisées pour l'extraction des ingrédients à l'aide de l'alcool sont de 1:1. Sur l'étiquette, cette mention signifie que la quantité d'herbe utilisée est égale à la quantité de solvant: 28 g (1 oz) d'herbe pour 28 g (1 oz) de solvant. Un extrait dont la proportion est de 1 partie pour 5 est beaucoup plus dilué et exige d'être consommé en plus grande quantité.

LES CAPSULES ET LES COMPRIMÉS

Les capsules sont très populaires et sont faciles à fabriquer. Elles contiennent l'ensemble des composés chimiques de l'herbe, ce qui permet de profiter entièrement de son effet. Un autre avantage est qu'elle permet de masquer complètement le goût de la plante. La qualité et le taux des ingrédients présents reposent sur la qualité, sur la fraîcheur et sur le potentiel des plantes utilisées pour sa fabrication.

Les capsules sont faciles à obtenir; elles sont moins coûteuses que les extraits liquides et ne contiennent pas d'alcool. Elles sont toutefois difficiles à avaler à cause de leur dimension.

Le plus grand désavantage des capsules est qu'elles ne conservent pas leurs propriétés thérapeutiques très longtemps: de 3 à 12 mois selon la provenance et l'entreposage.

Moins populaires que les capsules, les comprimés possèdent quand même quelques avantages. Ils sont faciles à consommer et ne contiennent pas d'alcool.

Ils renferment tous les ingrédients de la plante et en préservent les propriétés plus longtemps que les capsules. La qualité des comprimés est égale à celle des plantes utilisées à leur composition. La majorité des études sur le millepertuis ont utilisé cette formulation.

La fabrication des comprimés est complexe et nécessite plusieurs manipulations. Toutes les parties de la plante sont séchées et broyées. La poudre obtenue est collée à l'aide d'un fixatif et additionnée d'un agent à base d'eau pour une meilleure dissolution dans l'organisme. Le comprimé est ensuite enveloppé d'une couche lubrifiante qui le rend plus facile à avaler.

LES HUILES ESSENTIELLES

Les huiles essentielles servent principalement pour un usage externe. De petites quantités appliquées comme un baume soulagent les brûlures, les entorses, les petites coupures et les ecchymoses.

Certaines personnes affirment qu'une très petite quantité peut également soulager les problèmes de digestion.

AUTRES FORMULATIONS

Les ampoules contiennent souvent un mélange de plusieurs extraits liquides de différentes plantes. Il est important de connaître les effets de ces formulations, car elles peuvent servir à traiter d'autres conditions. La synergie possible entre certains ingrédients actifs est à surveiller.

Il est également possible de se procurer de l'herbe en vrac dans des boutiques spécialisées.

Les crèmes sont fabriquées en utilisant un solvant de moindre qualité; elles ne sont que d'usage topique.

La dose quotidienne de millepertuis recommandée est de 900 mg. Les plus fortes doses administrées au cours des études étaient de 1 800 mg et peu d'effets secondaires ont été rapportés même à cette force. La prudence demeure toujours de rigueur.

LA MÉDICATION HOMÉOPATHIQUE

L'homéopathie est fondée sur le principe de similitude entre l'action toxique et l'action thérapeutique d'une même substance. Ce principe veut qu'une substance capable à forte dose de créer les symptômes d'une maladie sur une personne en santé peut, à petite dose, soulager ces mêmes symptômes sur une personne malade.

Les teintures (extraits liquides) homéopathiques sont diluées à plusieurs reprises afin de ne contenir qu'un minimum de la substance de base. Le millepertuis, qui peut vous être présenté sous cette forme, ne peut convenir à un traitement, car il est établi de façon certaine qu'une dose quotidienne minimale de 900 mg d'*hypericum* pour un total de 2,7 mg d'hypéricine est requise pour atteindre le potentiel thérapeutique de cette plante.

CHAPITRE 8

L'ENVIRONNEMENT ET LA SANTÉ

L'ÉCOLOGIE DE LA SANTÉ

Comme on l'a vu précédemment, l'interaction entre certains éléments chimiques que contiennent les médicaments peut s'avérer dangereuse pour la santé.

Imaginez les risques que vous prendriez en consommant des végétaux qui sont constamment exposés aux centaines de sous-produits de combustion rejetés par les voitures.

Et n'allez pas croire que les plantes que vous pourriez subtiliser au jardin botanique local ne renferment aucun danger non plus; les pesticides n'ont sans aucun doute pas leur place dans une tasse de thé!

De nos jours, la réglementation n'assure pas que les produits de consommation sont libres de contaminants. Elle fait plutôt en sorte que la présence de ces contaminants ne dépasse pas un taux de toxicité «acceptable».

Dans l'optique de la médecine herboriste, les plantes médicinales se doivent d'être aussi pures que possible.

L'équilibre chimique des plantes et la présence de chaque ingrédient actif sont des critères de qualité incontournables.

Les réactions que peut entraîner une interaction entre certains médicaments sont connues. Par contre, on ignore les synergies possibles entre les divers contaminants toxiques et les éléments chimiques actifs des plantes médicinales. Les dangers d'intoxication sont toutefois très réels.

Depuis les années 1970, les écologistes et les intervenants du milieu de la santé dénoncent les ravages causés par ces contaminants. Malheureusement, la population ne semble pas prendre conscience de leur véritable impact sur leur qualité de vie.

Les gouvernements, quant à eux, sont plus préoccupés par les considérations économiques que morales et ne prennent pas les moyens réels pour remédier à cette situation.

Heureusement, la mondialisation et l'instauration du village global favorisent l'échange d'informations qui sont capitales à notre survie. La nature dispose également de ressources que nous ne faisons qu'entrevoir. Il reste beaucoup d'espoir!

LES PLANTES VS LES POLLUANTS

Depuis plus de 20 ans, la NASA étudie les propriétés des plantes pour éliminer la pollution. Au cours de ces recherches, il a été établi avec certitude que plusieurs plantes peuvent absorber jusqu'à 95 % des polluants auxquels elles sont exposées.

Placée dans un milieu fermé, une plante araignée (*Clhorophytum comosum*) peut éliminer 86 % du formaldéhyde et 97 % de l'oxyde de carbone qui seront introduits dans son environnement. Dans les mêmes conditions, des langues de belle-mère (*Sansevieria trifasciata*) réduiront de 53 % le taux de benzène et de 13 % celui de trichoréthylène.

Ces éléments toxiques sont constamment présents dans les résidences ou dans les édifices à bureaux. Ils émanent de certaines colles pour matériaux et aussi des appareils de travail comme les imprimantes et les photocopieurs. Ces polluants sont responsables de graves problèmes de santé et peuvent même causer le cancer.

Les contaminants sont en partie métabolisés et éliminés par les végétaux qui, en contrepartie, accumulent des dépôts résiduels toxiques. La concentration de ces dépôts n'est pas négligeable. Dans le cas de plantes vouées à la consommation, on parle alors de contamination alimentaire. C'est pourquoi la situation géographique de la production des végétaux est un facteur important.

Par exemple, l'altitude des champs de production est un facteur à considérer. Il est prouvé que la pluie qui survient en région montagneuse contient un taux plus concentré de polluants. Ce phénomène est causé par la pression atmosphérique différente en ces lieux.

D'autres régions sont plus affectées par les pluies acides qui suivent presque toujours les mêmes «corridors» ou courants atmosphériques. Ces pluies sont parfois chargées de polluants qui peuvent contaminer des récoltes entières.

Il existe, bien sûr, d'autres sources de pollution.

DES «MAUX» SUR LES PESTICIDES

Tous les étudiants en horticulture qui ont suivi un cours sur l'utilisation des pesticides l'ont surnommé «déprime 101». Le visionnement des documents vidéo sur les dommages causés par les pesticides est effectivement très dur sur le moral de ceux qui ont la vie à cœur.

La documentation sur ce sujet est également abondante et explicite. La plupart d'entre nous sont conscients des dangers que représente l'usage de ces poisons et, pourtant, leur utilisation demeure abusive.

Uniquement en agriculture, plus d'un milliard de kilos de pesticides sont utilisés annuellement sur la planète. Les traitements de pelouse sont la deuxième source en importance pour la propagation de pesticides et d'herbicides dans l'environnement.

Il est plus difficile d'évaluer les quantités utilisées en horticulture ornementale. L'expansion constante de cette industrie et l'usage domestique de pesticides et d'herbicides de façon préventive causent certainement des ravages importants dans l'écologie.

Les pesticides ne s'éliminent pas d'eux-mêmes et ils ne disparaissent pas non plus. Ils se déplacent plutôt tout au long de la chaîne alimentaire. C'est pourquoi on trouve des traces de ces résidus dans l'organisme de 99 % des humains.

La plupart des nouveaux pesticides utilisés à grande échelle sont neurotoxiques. Une absorption de certains de ces produits en quantité infime peut causer, entre autres, des troubles du système nerveux, un affaiblissement du système immunitaire et même, parfois, la mort.

Un autre facteur rend l'utilisation des pesticides irrationnelle: la tolérance naturelle que développent les insectes constamment traités avec les mêmes produits. Chaque génération d'insectes comporte des individus qui, par mutation naturelle, sont naturellement immunisés contre les pesticides.

Ces «mutants» survivent aux traitements et reproduisent une nouvelle génération qui, à son tour, est totalement immunisée. C'est pourquoi on doit constamment recourir à des pesticides de formulations différentes et plus toxiques, qui sont de moins en moins efficaces.

La propagation des pesticides dans l'environnement est souvent attribuable à une utilisation inconsciente. Par exemple, récemment, je me promenais dans la campagne en profitant d'une belle journée jusqu'à ce que j'aperçoive un fermier qui appliquait des pesticides. Par cette journée de grands vents, le fermier était très bien protégé par un costume spécial, mais son nuage de pesticides dérivait lentement sur un parc de maisons mobiles où jouaient de nombreux enfants!

Depuis le début de leur utilisation, les pesticides se sont répandus dans l'ensemble des écosystèmes.

Les sols et les eaux profondes et de surface en sont souillés. Une multitude d'êtres vivants sont maintenant contaminés, et cela a des répercussions sur la totalité de la chaîne alimentaire.

On peut penser à tous ces animaux qui naissent avec des malformations directement reliées aux pesticides. Les batraciens d'Amérique du Nord sont un excellent exemple; très sensibles aux pesticides, ces animaux subissent des mutations génétiques importantes.

De plus, certains pesticides ont une durée de vie active très prolongée. On trouve encore des traces de DDT qui ont conservé près de 40 % de leur toxicité, et ce, 20 ans après l'interdiction de son utilisation.

Les pays en voie de développement subissent aujourd'hui les conséquences d'une réglementation plus permissive. Dans certains pays d'Amérique du Sud où l'utilisation du DDT est toujours permise, on trouve ce poison dans l'organisme de la population à un taux de 90 % supérieur à celui trouvé dans la population nord-américaine. Les implications d'une telle contamination sont inimaginables.

LES HERBICIDES

Les herbicides sont utilisés à titre de prévention, de façon beaucoup trop abusive. Certains de ces défoliants servent à des usages spécifiques et ne s'attaquent qu'à des plantes bien précises; d'autres éliminent toutes formes de végétation.

La plupart des herbicides contiennent des dioxines. Ces sous-produits de fabrication résultent d'une réaction chimique catalysée par la conception d'un dérivé chloré du phénol qui fait partie de la composition de nombreux défoliants.

Cette substance a été classée cancérigène pour l'homme par l'Organisation mondiale de la santé, en 1997. Les experts estiment que la dioxine TCDD, la plus répandue, demeure près de 30 ans dans l'organisme humain. On considère que les dioxines sont de puissants dérégulateurs hormonaux qui provoquent de graves symptômes de toxicité sur les systèmes nerveux, immunitaire et reproducteur. Des lésions pulmonaires et de la peau sont également rapportées par des professionnels de l'horticulture.

Comme les pesticides, ces toxines se déplacent tout au long de la chaîne alimentaire en la contaminant. Selon une estimation de l'Agence américaine de protection de l'environnement (EPA), une exposition moyenne à ce produit durant 30 ans causerait entre 1 800 et 2 900 décès par le cancer dans les pays industrialisés. C'est un bien grand prix à payer pour se débarrasser de quelques pissenlits et autres herbes «nuisibles».

LES ENGRAIS CHIMIQUES

Les plantes ne peuvent métaboliser leur nourriture directement du sol; les éléments nutritifs comme l'azote, le phosphore et le potassium doivent être solubilisés avant d'être absorbés. Les végétaux dépendent donc de microorganismes pour se nourrir.

Ces microorganismes captent les éléments de la matière organique environnante. Par leurs actions enzymatiques, ils transforment ces éléments de façon à les rendre assimilables par les plantes. Les éléments secondaires comme le calcium, le fer et le magnésium sont aussi transformés de cette manière. Cet échange est crucial pour l'équilibre chimique des végétaux.

Les engrais chimiques sont directement assimilables. Leur utilisation a toutefois de graves répercussions sur le développement des plantes et sur l'environnement.

L'application d'engrais chimiques détruit la vie microscopique du sol. L'apport en éléments nutritifs se trouve déséquilibré, et les plantes subissent des changements importants dans leur croissance et dans leur structure moléculaire.

De plus, les engrais chimiques contiennent peu d'éléments nutritifs secondaires et les plantes, privées de l'apport symbiotique des microorganismes, développent des carences qui affaiblissent leur résistance naturelle. Elles sont donc plus sensibles aux maladies et aux insectes ravageurs. L'utilisation de pesticides devient alors nécessaire à leur survie.

Le traitement des pelouses est un très bon exemple de cette condition. Dès la première application, les engrais sont mélangés à des herbicides et à des pesticides, à des fins préventives. Toute la vie microscopique du sol est alors détruite. En fait, si vous cessez les traitements à cette étape, vous verrez votre pelouse dépérir à une vitesse surprenante. Le gazon devient donc dépendant des traitements subséquents pour conserver une «apparence» de santé.

D'autres problèmes graves sont reliés à l'usage d'engrais chimiques, plus particulièrement en ce qui concerne l'azote, le potassium et les superphosphates.

Il n'existe pas d'azote minéral à l'état naturel. C'est pourquoi on utilise de l'azote nitrique produite grâce à un procédé complexe et pollueur.

L'apport de cette forme d'azote dérègle l'équilibre chimique des plantes. Les végétaux cultivés à l'aide d'azote nitrique recèlent jusqu'à huit fois plus de nitrates que les plantes nourries naturellement.

Aussi, les nitrates se transforment en nitrites après la récolte. Des plantes vouées à la consommation et fertilisées chimiquement ont révélé un taux de nitrites 50 fois supérieur à celui trouvé dans des plantes de culture écologique. Les nitrites peuvent affecter la glande thyroïde; conséquemment, l'organisme peut développer des carences importantes. Ils peuvent également être cancérigènes.

Le potassium soluble, en grande quantité, inhibe l'absorption du magnésium par l'organisme. Le magnésium tient un rôle important dans notre système immunitaire. Quant aux superphosphates, ils recèlent de nombreux métaux lourds dont l'arsenic, le plomb, le cobalt et d'autres éléments nocifs.

Les engrais qui sont «de base organique» sont à proscrire, car il s'agit d'engrais chimiques auxquels on a ajouté un peu de matière organique. Un bon produit doit être 100 % organique.

* * *

L'ensemble des implications reliées à la consommation de plantes médicinales mérite que l'on s'attarde sur tous les facteurs concernés.

Si on est prêt à admettre que seulement 0,3 % d'hypéricine sur 300 mg d'*hypericum* peut influencer des facteurs aussi importants que l'échange de neurotransmetteurs et la régularisation hormonale, on doit également envisager l'impact des centaines de composés chimiques et polluants toxiques qui peuvent être ajoutés à notre médicament.

Les pluies acides sont des phénomènes aléatoires. Ce ne sont pas toutes les averses de pluie qui sont chargées de polluants. Par contre, l'apport d'engrais chimiques et de pesticides est constant en production maraîchère commerciale. On ne peut éliminer les pluies acides, du moins à court terme. Toutefois, en évitant l'usage de pesticides et d'engrais chimiques, on peut réduire de 90 % la présence d'éléments chimiques indésirables.

CHAPITRE 9

LA CULTURE DU MILLEPERTUIS

LES AVANTAGES DE LA CULTURE MAISON

La fraîcheur est le premier avantage qui me vient à l'esprit. Rien n'est meilleur que de bons fruits et légumes fraîchement cueillis du potager et du verger. Leur saveur est intacte, tout comme leurs vitamines et leur potentiel énergétique.

Ceci est également vrai pour les plantes médicinales. La courte durée de vie de leurs ingrédients actifs et la dégradation de ceux-ci lors de manipulations successives justifient que l'on tienne compte, en tout temps, de leur fraîcheur.

Malgré ce qu'en disent les compagnies pharmaceutiques, la culture maison demeure un excellent moyen d'obtenir les qualités complètes d'une plante. Plusieurs facteurs climatiques influent sur la présence des ingrédients actifs, et les producteurs de plantes médicinales sont exposés à ces facteurs autant que nous le sommes.

La qualité des plantes «industrielles» peut varier d'une production à l'autre, et rien n'assure que les contrôles sont effectués constamment et de façon rigoureuse. Cultiver soi-même ses plantes est la meilleure façon de contrôler leur qualité en leur assurant des conditions optimales pour leur développement.

L'emplacement des cultures de plantes est également très important. Par exemple, au Canada, on produit en grandes quantités l'échinacée dans la vallée de l'Okanagan, en Colombie-Britannique. Cette région servait depuis près de 50 ans à la culture d'arbres fruitiers, qui exigeait des applications continuelles de pesticides qui se sont accumulées dans le sol. Je doute fort qu'on se soit donné la peine de décontaminer cet environnement avant d'entreprendre la culture d'une plante médicinale...

Le jardinage est une activité de loisir perçue, par plusieurs, comme un excellent moyen de détente qui contribue à libérer les tensions. La nature, c'est la vie. Son observation nous apporte une réflexion sur ce que nous sommes. Le jardin, lui, exprime la passion des formes et des couleurs, et nous gratifie de belles récompenses comme le parfum des fleurs qui nous embaume, le soir venu. Belle thérapie, non?

Si vous avez besoin d'une autre raison pour être convaincu, sachez que le millepertuis est très facile à cultiver. Il semble avoir une préférence pour les endroits arides, et ce n'est pas surprenant qu'il ait été catalogué comme une mauvaise herbe. En fait, qu'est-ce que la définition d'une mauvaise herbe?

En horticulture, il n'y a pas de mauvaises herbes. Il n'y a que des plantes qui ne sont pas au bon endroit, ou alors des végétaux que l'on ne désire pas posséder.

Chaque plante a une fonction dans l'écosystème. Par sa présence dans de nombreux pays, il est possible d'affirmer que le millepertuis fait partie d'une chaîne alimentaire élargie.

Mais pourquoi se donner la peine de le cultiver si l'on peut en cueillir à peu près partout? La réponse est simple: la pollution.

Il est vrai que cette herbe se propage facilement et on peut en voir le long des routes, dans les champs non cultivés et, parfois, sur des terrains vacants en ville. Le problème est que ces plantes sont exposées à une multitude de polluants et en contiennent certainement plusieurs.

LA CULTURE ÉCOLOGIQUE

Il existe des moyens afin de s'assurer de la pureté des plantes.

Déménager en Norvège du Nord pourrait être une solution, car c'est un des rares endroits sur la planète où, en raison des courants atmosphériques, il n'y a pas de pluies acides. Les échantillonnages de l'eau de cette région servent de comparatifs pour évaluer la qualité de l'eau dans le monde. Malheureusement, pour nous, c'est un très petit pays et les meilleures places sont déjà prises!

La culture écologique est probablement la solution la plus pratique. Le jardinage écologique est simple et peu coûteux; il s'agit d'appliquer quelques principes de base, avoir du temps et aimer jouer dans la terre.

Le millepertuis se prête très bien à cette méthode culturale, car il est peu exigeant et même idéal pour les jardiniers paresseux ou inexpérimentés. Voyons comment nous pouvons bénéficier de cette science pour sa culture.

Depuis quelques années, vous avez bien travaillé et votre jardin, vos carrés de fines herbes ainsi que votre potager ont atteint des conditions optimales. Oubliez-les, la structure parfaite du sol et sa richesse en éléments nutritifs peuvent nuire à l'équilibre chimique naturel du millepertuis!

Cette plante a évolué selon des conditions ambiantes précises. Bien qu'elle soit répandue un peu partout dans le monde, elle ne se propage que dans des conditions similaires. Le succès d'une culture équilibrée consiste à reproduire ces conditions du mieux que l'on peut.

Rassurez-vous, le millepertuis préfère qu'on le laisse seul. Une fois que les conditions du sol sont établies et que les plants sont semés, le travail du jardinier s'applique principalement à la prévention. L'aventure débute avec une toute petite graine.

LES PLANTS ET LES SEMENCES

Les jardiniers paresseux peuvent se procurer des plants de millepertuis chez certains producteurs artisans. Il faut toutefois bien s'assurer des méthodes de culture qu'ils utilisent. L'identification de l'espèce doit aussi être rigoureuse en raison de sa très grande variété. Même un herboriste expérimenté peut se tromper en prélevant ses plantes mères ou ses semences dans la nature.

Certaines de ces variétés sont d'usage ornemental. Le millepertuis rampant *(Hypericum calycinum)* est une plante plus courte utilisée comme couvre-sol et qui s'est propagée dans l'environnement. Deux autres espèces également naturalisées présentent des caractéristiques semblables à l'*hypericum perforatum*. Ces variétés, *H. hirsutum* et *H. puctatum*, contiennent aussi de l'hypéricine et d'autres ingrédients actifs. Par contre, les différences de concentration rendent leur utilisation thérapeutique incertaine.

Quelques compagnies offrent également la possibilité de recevoir de jeunes plants de millepertuis par la poste. Cette pratique est plus ou moins fiable. Souvent, à cause des délais de livraison, les plantes nous parviennent en état de stress hydrique et sont déjà carencées en éléments nutritifs. Il est aussi plus difficile de s'assurer des méthodes de culture et d'une identification positive.

Plusieurs entreprises offrent une très grande variété de semences de qualité qu'il est possible de se procurer par catalogue. Les variétés distribuées de cette façon sont généralement identifiées par des botanistes chevronnés; la réputation de certaines de ces compagnies repose sur plusieurs décennies d'expertise et de recherches.

Il y a quatre points importants qu'il faut vérifier lors de l'achat de vos semences:

- *Votre fournisseur doit certifier ses critères de sélection.*

Les standards de qualité sont établis par Agriculture Canada. Des normes strictes doivent être respectées afin de garantir une qualité suffisante pour satisfaire ces standards. Outre les caractères génétiques, les taux de germination des semences font partie des normes imposées.

- *Les semences doivent être préférablement de qualité biologique.*

Les plantes dont elles proviennent sont plus résistantes et mieux adaptées à leur environnement que des plantes cultivées chimiquement. Ces dernières n'ont pas développé de résistance naturelle, car leur croissance a été forcée par les fertilisants et par les pesticides de synthèse.

- *Les semences ne doivent pas avoir été traitées.*

Afin d'éviter des problèmes de pourriture, certains producteurs traitent les semences à l'aide de fongicides. En plus d'être dangereux pour la santé, ces produits stérilisent le sol lors de la germination. Vérifiez l'apport de fongicides qui doit toujours être mentionné sur l'étiquette qui accompagne vos semences.

- *Évitez les manipulations génétiques.*

Cette manipulation est la dernière trouvaille des producteurs de semences qui veulent s'assurer le monopole des variétés de plantes qu'ils produisent. Les semences sont modifiées génétiquement afin de ne produire que des plantes stériles dont les graines ne pourront germer. Vous devrez vous procurer des semences pour chaque récolte.

Cette technique comporte un danger énorme pour l'environnement. Si ces gènes modifiés se trouvent hybridés à d'autres plantes dans la nature, cela peut entraîner l'extinction de plusieurs espèces. Les promoteurs de ce «progrès» affirment qu'il n'y a pas de danger, car la culture de ces plantes modifiées est contrôlée. Toutefois, ils ne prennent pas en considération la propagation des espèces par l'activité animale.

LA TERRE VIVANTE

La vie que contient le sol est tributaire d'un équilibre établi grâce à des milliards d'années d'évolution. La mince proportion de sol arable de l'écorce terrestre est composée de tout ce qui y a vécu. La structure du sol est la base et l'achèvement de toute forme de vie.

Formée par l'érosion, par la décomposition organique et par le travail d'un nombre infini de microorganismes, la qualité vivante du sol est primordiale au succès d'une culture saine. Un sol contaminé peut exiger jusqu'à 10 ans de soins intensifs pour acquérir de nouveau son équilibre naturel. Ceci ne peut se faire que grâce à l'apport régulier d'amendements bien calibrés. La composition du sol, son degré d'acidité, l'action des microorganismes sont tous des facteurs qui influencent le développement chimique d'une plante. Une analyse complète du sol est la première étape d'une culture saine.

Cette analyse vous informera de la condition de votre sol de culture et des corrections à faire pour atteindre son rendement optimal et assurer la présence équilibrée de tous les ingrédients actifs du millepertuis.

En culture écologique, l'intégrité du sol doit être respectée, et c'est pourquoi la terre ne doit pas être retournée et labourée. Les microorganismes qui y vivent à différents niveaux, selon les espèces, seraient alors déplacés de leur milieu, et leurs actions en seraient affectées.

Le millepertuis est une plante calcicole qui pousse bien dans un sol sableux et pauvre en matière organique. La structure du sol doit donç permettre une bonne aération et un bon drainage. Par contre, cette plante préfère un sol calcaire riche en carbonate de calcium. Si l'acidité du sol doit être modifiée, on peut lui ajouter de la chaux. Si le sol est trop sableux, l'apport d'un peu de terre contribuera à l'humidifier et à l'aérer adéquatement. Si le sol est trop argileux, il faut ajouter du sable et de la terre en proportions égales.

LE PH

Un pH (degré d'acidité-alcalinité) équilibré permet aux plantes de puiser du sol tous les éléments essentiels à leur équilibre chimique. Un pH neutre est de 7,0 degrés; un pH trop acide (6 et moins) est néfaste pour la vie organique du sol.

Le pH optimal pour le millepertuis, dans un sol sablonneux, est de 6,5. Une analyse du sol peut se faire à l'aide d'un papier marqueur facile à se procurer. On obtient un degré d'acidité plus élevé en utilisant de la chaux agricole, ou dolomite. Cette dernière constitue également un apport de magnésium non négligeable. Pour rendre le sol alcalin, on utilise de la cendre de bois.

LA PRÉPARATION DES SEMENCES

Grâce à sa rusticité et à ses qualités d'adaptation, le millepertuis peut être semé directement dans le jardin. Cela se fait vers la fin du mois de mai ou, selon votre région, dès qu'il n'y a plus de risques de gel au sol.

Lors de la manipulation des semences, assurez-vous toujours d'avoir les mains fraîchement lavées, spécialement si vous venez de travailler sur d'autres végétaux. Ceci réduit les risques de contamination.

Afin de stimuler l'induction de la germination, les semences doivent être placées dans un congélateur durant approximativement une semaine avant l'ensemencement; ceci a pour effet de recréer les conditions hivernales. Une fois que les semences sont à nouveau exposées à une température normale, elles réagissent comme si c'était le printemps et sont prêtes à germer.

Avant de les semer, une opération de simple prévention peut vous éviter bien des tracas. Les virus, les bactéries et les fongus sont propagés surtout par les semences. Alors, pour vous assurer que vos graines ne sont pas contaminées, enveloppez-les dans un linge et faites-les tremper dans de l'eau préalablement chauffée à 50 °C (122 °F) durant 25 minutes. Utilisez un thermomètre pour bien contrôler la chaleur, car les semences pourraient être endommagées par une température plus élevée.

Vos graines sont maintenant prêtes à être semées. Cette opération n'est nécessaire qu'une seule fois. Le millepertuis est une plante vivace; il se propagera de lui-même chaque année.

LA PROPAGATION

Vous pouvez commencer la récolte à partir de semences que vous ferez germer dans un mélange à semis sans additifs. Les mêmes conditions ambiantes que pour la culture intérieure sont requises (voir à ce sujet le chapitre 10, à la page 127), à l'exception du taux d'humidité qui doit être élevé à 80°. Ceci peut se faire à l'aide d'un plateau pour semis doté d'un couvercle transparent. Une fois que le mélange à semis est humidifié et placé dans le plateau, enfouissez les semences de 2 à 3 cm (0,8 à 1,2 po).

Les semences du millepertuis sont petites. Il faut quand même les espacer suffisamment les unes des autres. Ceci préviendra de briser les jeunes racines lors de la transplantation. Retirez le couvercle lorsque les cotylédons (deux premières feuilles) apparaissent et veillez à ce que le mélange reste humide sans être détrempé.

Dans un sol trop humide, la fonte des semis peut nuire très rapidement aux jeunes plants. Les restants d'infusions de camomille (pures) peuvent bien contrôler ce problème s'il survient.

Lorsque plusieurs feuilles ont fait leur apparition, vous pouvez installer un petit ventilateur rotatif dans la pièce. Cette circulation d'air aidera la plante à former sa turgescence (résistance).

Surveillez l'assèchement du terreau que peut occasionner cette circulation d'air. Les plantes seront transplantées lorsqu'elles auront atteint une hauteur de 7,6 à 10 cm (3 à 4 po).

Le millepertuis peut également se multiplier par le bouturage des branches.

Les boutures faites à partir d'une même plante mère sont génétiquement identiques. Cultivées dans les mêmes conditions, elles développeront donc des caractéristiques identiques. Le bouturage est ce qui peut se rapprocher le plus de la standardisation naturelle. Les plantes ainsi cultivées ont toutes le même potentiel.

Afin de bien vous assurer que vous cultivez des plantes de qualité, vous devez tout d'abord choisir une plante mère qui comporte les caractéristiques désirées.

Optez pour une plante résistante qui ne démontre aucun signe de carence et aucune déformation physiologique. L'analyse de quelques prélèvements pourrait vous informer sur la teneur des ingrédients actifs. Cependant, n'oubliez pas que ces résultats vont varier selon les conditions ambiantes.

Le bouturage doit se faire avant le début de la floraison, car celle-ci entraîne des modifications chimiques dans la plante, ce qui inhibe la formation des racines. Choisissez votre plante mère vers le début du mois de juin.

Pour bouturer, prenez l'extrémité d'une branche et coupez celle-ci où il y a un entre-nœud, c'est-à-dire là où les pétioles des feuilles apparaissent sur la tige. Cette partie de la plante contient les méristèmes qui formeront les nouvelles racines. Prenez bien soin d'effectuer une coupe nette et précise à l'aide d'une petite lame tranchante. Trempez la tige dans une hormone pour la stimulation racinaire et plantez-la dans un mélange à semis déjà humidifié et bien compacté. Vous pouvez également prendre des rondelles (Jyffy) déjà préparées que vous n'aurez qu'à humidifier. Placez ensuite les boutures dans un plateau à semis et suivez les mêmes instructions que pour les semences.

LA PLANTATION

Choisissez une journée nuageuse pour transplanter vos plantes, afin de prévenir le stress hydrique que la chaleur causerait.

Le millepertuis exige beaucoup de soleil. Il doit être semé dans une partie de votre terrain qui est exposée vers le sud ou le sud-est afin de lui assurer une bonne exposition tout au long de la journée.

Après avoir désherbé manuellement sans labourer le sol, plantez les semences à une profondeur de 2 à 3 cm (0,8 à 1,2 po) et à une distance de 15 à 20 cm (6 à 8 po) l'une de l'autre. Évitez de les semer en ligne droite; plantez plutôt en quinconce afin de favoriser la pénétration de la lumière et de l'air. Les plants déjà en croissance doivent être plantés à 12,7 cm (5 po) de profondeur en évitant de remuer le sol environnant.

La première année, les plantes atteindront une hauteur approximative de 15 à 20 cm (6 à 8 po). Les premières fleurs seront produites la deuxième année, et la plante atteindra sa pleine hauteur l'année suivante.

LE COMPAGNONNAGE

Le compagnonnage est un principe fondamental de la culture écologique. Dans la nature, la biodiversité est la base de la symbiose entre toutes les formes de vie.

Le compagnonnage permet d'établir une diversité des végétaux qui apporte plusieurs avantages. L'implantation d'un bon nombre d'espèces variées favorise l'établissement de différents prédateurs utiles, dont les oiseaux et les batraciens, des alliés précieux dans le contrôle des insectes nuisibles.

Les exigences alimentaires différées des plantes épuisent le sol moins rapidement. Il suffit d'utiliser des plantes de différentes familles afin de s'assurer d'une meilleure gestion des ressources du sol.

Le compagnonnage doit tenir compte des besoins en éléments nutritifs et des besoins physiologiques des plantes. On doit s'assurer que l'espace et la lumière disponibles à la plante sont conformes à ses besoins pour s'épanouir.

Le millepertuis exige une bonne exposition au soleil. La lumière favoriserait la présence de ses ingrédients actifs. Il préfère également une bonne circulation d'air. Il serait donc déconseillé de le placer aux côtés de plantes hautes qui lui porteraient ombrage et bloqueraient en partie la ventilation dont il a besoin.

Les besoins en arrosage sont aussi à considérer. Le millepertuis, qui préfère un sol bien drainé, ne sera pas compatible avec des plantes qui exigent un milieu humide.

Les bons compagnons

Certaines plantes ont pour effet d'éloigner des insectes nuisibles. Leurs couleurs et leurs odeurs nuisent aux insectes dans leur façon de repérer les végétaux.

Des plantes comme la marjolaine, le romarin, la camomille, la coriandre et la sauge sont très efficaces pour éloigner les insectes nuisibles et peuvent compléter votre jardin d'herbes.

Des plantes ornementales comme l'alyssum, le cosmos et les capucines attirent de nombreux insectes prédateurs qui sont également utiles à la pollinisation.

La plantation d'arbres fruitiers complétera le tout.

LA FERTILISATION

Le millepertuis est peu exigeant en éléments nutritifs, et il est souvent recommandé de ne pas le fertiliser. Une simple application de phosphate de roche suffira à combler ses besoins en calcium et en phosphore. De la farine d'algues peut être utile pour pallier d'éventuelles carences en oligoéléments.

LE CONTRÔLE BIOLOGIQUE

Il n'y a qu'un insecte au monde qui se nourrit exclusivement du millepertuis.

Le *chrysolina quadregemina rossi*, importé d'Australie, est présent dans notre environnement depuis que le gouvernement fédéral l'a introduit en 1951.

Son efficacité est mise en doute par le fait que le millepertuis est toujours présent à l'état indigène. D'autres insectes peuvent également s'attaquer à cette plante; le contrôle biologique est un excellent moyen de prévention.

Cette méthode consiste à réduire l'intervention du jardinier dans le contrôle des insectes parasitaires, en laissant agir les petits animaux insectivores et les oiseaux prédateurs. Un environnement décontaminé permet à cette faune de retrouver un milieu viable où se rétablit lentement la chaîne alimentaire autrefois interrompue par l'utilisation de puissants insecticides chimiques.

Pour favoriser le retour des oiseaux et des insectes utiles, on s'efforce de créer une diversité de types de culture en cultivant une plus grande variété de plantes. Le chardon géant, par exemple, attire les oiseaux qui viennent s'abreuver dans ses feuilles en forme de coupole avant de se régaler d'insectes nuisibles du potager.

Le merle d'Amérique et le geai bleu figurent parmi ces précieux alliés ailés qui se nourrissent de pucerons et de larves de hannetons. La plupart des variétés d'oiseaux sont également amateurs de ces insectes ravageurs.

Un plan d'eau peut aussi attirer quelques batraciens qui se régaleront des vers gris et des limaces qui s'aventurent dans le potager, la nuit. D'autres insectes, telles les coccinelles, sont également friands de pucerons, et leur présence dans un jardin est toujours appréciée.

Certaines variétés de coccinelles sont même importées d'Australie pour leur efficacité redoutable.

Le but ultime du contrôle biologique n'est pas d'éliminer complètement la présence d'insectes ravageurs, mais plutôt d'établir un équilibre nécessaire à la croissance normale des plantes.

AUTRES MOYENS DE CONTRÔLE

Si vous devez quand même intervenir dans le contrôle des insectes nuisibles, il existe des méthodes qui n'ont pas d'incidence sur la santé de vos plantes et sur l'environnement.

La chasse aux insectes peut se faire de façon manuelle. Plusieurs ravageurs, comme la larve du charançon, travaillent de nuit. Une sortie nocturne, entre 22 heures et 2 heures du matin, peut porter des fruits. Ces insectes ne pourront échapper au faisceau révélateur de votre lampe de poche!

Des obstacles et des pièges peuvent également être installés afin de réduire les dommages. Un récipient contenant de la bière et à demi enfoui dans le sol piégera des limaces (et peut-être votre beau-frère!).

Des écailles d'œufs brisées en petits morceaux et répandues autour des plantes causeront des blessures aux insectes qui tenteront de s'y aventurer. Des retailles de cèdre ou des morceaux de menthe fraîche répandus sur le sol ont des effets répulsifs assez efficaces.

Le soir venu, de vieux journaux roulés et humidifiés serviront de pièges pour les perce-oreilles. Il suffit de les brûler le matin suivant.

Les savons insecticides sont recommandés pour le contrôle des pucerons et des acariens. Ces insecticides de contact doivent être vaporisés directement sur les insectes pour être efficaces. L'action déshydratante du savon assèche les insectes en s'introduisant par les points faibles de leur squelette externe. Deux marques commerciales bien connues ont fait leurs preuves, les savons Safer et Trounce qui ne laissent pas de résidus toxiques.

La terre diatomée est une substance organique cristalline qui agit comme les coquilles d'œufs, en blessant les insectes qui meurent après s'être vidés de leurs fluides vitaux. Ce produit peut aussi être ingéré avec le même résultat.

La roténone et le pyrèthre sont des insecticides composés à l'aide de plantes tropicales. Ils agissent sur le système nerveux de plusieurs insectes, dont les pucerons et la plupart des larves. Par contre, ils ne sont pas sélectifs et s'attaquent à tous les insectes, nuisibles et utiles. Ils affectent également les animaux à sang froid.

Le BT, ou *bacillus thuringiensis*, est une bactérie qui s'applique contre les chenilles. C'est avec ce produit que l'on a combattu efficacement la tordeuse d'épinette. Cette bactérie s'attaque au système digestif des larves qui meurent généralement dans les 24 heures après l'absorption. La courte durée de vie de ce produit le rend sûr.

Un insecticide maison à base d'ail est également efficace pour le contrôle des insectes nuisibles. Pour fabriquer une solution de ce produit, il suffit de faire tremper 20 mg (¾ oz) d'ail frais et haché dans 20 ml (4 c. à thé) d'huile végétale pressée à froid durant une journée entière. Le lendemain, on ajoute 1 l (4 tasses) d'eau et 10 ml (2 c. à thé) de savon liquide biodégradable pour obtenir une forme concentrée. Lors de l'application, on dilue le concentré dans l'équivalent de quatre fois son volume en eau.

La diminution des colonies d'insectes ravageurs se fait également grâce à l'emploi de produits naturels, comme les efficaces décoctions de tabac et de rhubarbe.

Pour obtenir une décoction, on place de la rhubarbe (ou du tabac) et une part égale d'eau dans un chaudron et on laisse reposer après avoir fait bouillir durant 30 minutes. On filtre le tout à l'aide d'un tamis fin et on vaporise.

LES MALADIES

Les maladies fongiques et bactériennes sont surtout causées par une trop grande humidité du sol ou par une plantation trop dense qui empêche l'air de circuler librement parmi les plantes.

Le millepertuis est quelque peu sensible à ces problèmes; une plantation espacée et un bon drainage du sol sont des moyens préventifs efficaces.

Une observation régulière de l'état des plantes est le meilleur moyen afin de dépister les symptômes dès leur apparition. Il existe plusieurs maladies de cet ordre; le mildiou et l'anthracnose sont les plus répandues. La meilleure façon de s'en départir consiste à éliminer les plants affectés et de les brûler.

Les maladies virales sont plus rares et sont surtout propagées par l'homme au cours de ses travaux. Il est très important de toujours nettoyer ses outils de jardinage entre chaque intervention. De l'alcool à friction un peu dilué fera un bon ménage de ces virus.

LE BINAGE

Cette méthode culturale a plusieurs fonctions. D'abord, elle empêche les «mauvaises herbes» d'envahir l'aire de culture réservée aux plantes. La présence de ces herbes indésirables est favorisée par un sol pauvre comme le préfère le millepertuis.

On remue la surface du sol sur une profondeur de 5 cm (1,9 po) à l'aide d'une griffe de jardinage ou d'un petit rotoculteur manuel. Cela expose et assèche les semences indésirables en germination dans le sol.

Pour de meilleurs résultats, cette opération doit être faite par temps ensoleillé. Au début de la saison, il sera nécessaire de répéter cette opération tous les 10 jours. La fréquence s'espace à mesure que les plantes deviennent moins envahissantes au fil de l'été.

En plus d'éliminer la compétition, le binage est efficace pour favoriser une bonne aération du sol et pour réduire les pertes excessives d'humidité.

Le binage est une intervention qu'un bon jardinier ne peut négliger. Un résultat immédiat est la propreté et l'apparence finie d'un jardin bien entretenu.

C'est également à ce moment que l'on se sent relié à la terre. Les odeurs, le grand air et l'aspect paisible de ce travail contribuent à créer un moment de détente grandement apprécié pour se libérer du stress de la journée.

LA PROTECTION HIVERNALE

Malgré leur rusticité, les jeunes plantes de millepertuis peuvent être sensibles aux revers de la nature. Elles auront besoin d'une protection hivernale s'il n'a pas neigé suffisamment avant les grands froids. Les premières couches de neige servent d'isolant pour la flore.

De la paille ou des feuilles mortes peuvent convenir à cette fin pour autant qu'elles soient enlevées dès le dégel, au printemps.

LA RÉCOLTE

La récolte du millepertuis se fait dès l'apparition des boutons floraux, au début de l'été, et périodiquement jusqu'à l'automne. Seules quelques parties sont prélevées chaque fois.

Comme le dit un vieux proverbe hindou, «récolter une plante dans sa totalité, c'est comme tuer une vache pour son lait». Il est important de laisser des fleurs et leurs graines pour que la plante se propage de nouveau l'année suivante.

La plupart des herboristes estiment que la plante est à son plein potentiel dès le début de l'induction florale et tout au cours de la floraison. En Amérique du Nord, la floraison débute vers le milieu ou la fin du mois de juin, et se poursuit jusqu'à la fin du mois d'août et au début du mois de septembre.

Le plus grand potentiel de la plante se trouve dans ses extrémités. Les boutons floraux, les fleurs et les feuilles contiennent la plus grande concentration d'ingrédients actifs. Prélevez de nouvelles pousses sur une longueur de 5 cm (2 po).

La récolte doit se faire préférablement après que la rosée sera dissipée. Choisissez une journée ensoleillée et peu humide, avant qu'il fasse trop chaud. Prenez le temps de choisir des plantes en santé. Une couleur pâle, la présence de taches ainsi que la perte prématurée de pétales sont des signes de désordres physiologiques. Vérifiez aussi la présence d'insectes si vous voyez de petits trous.

Utilisez un sécateur dont la lame est bien affilée et propre. Il est important d'effectuer une coupe bien précise sans écraser les tiges florales ou les branches, afin d'assurer une cicatrisation rapide et de prévenir l'apparition de maladies pathogènes.

Évitez d'écraser ou de briser les plantes. En effet, les blessures vont libérer les huiles volatiles, et vous perdrez quelque peu du potentiel de la plante. Lorsque vous récoltez le millepertuis, une substance rouge contenue dans les fleurs et dans les feuilles peut causer de légères démangeaisons. Certaines personnes préféreront porter des gants de jardinier pour cette activité.

Lorsque vous récoltez des parties de la plante, placez-les dans un sac en papier non ciré. Pour éviter toute erreur, inscrivez sur le sac le nom de la plante et la date de la cueillette.

Les parties de la plante fraîchement cueillies peuvent être utilisées pour la confection d'infusions et d'extraits liquides. Si vous désirez vous constituer des réserves pour l'année, il faudra bien faire sécher la plante dans des conditions qui en conserveront toutes les propriétés.

LE SÉCHAGE

Le séchage de la plante est une étape importante. Il doit être effectué dans de bonnes conditions pour conserver le plein potentiel des ingrédients actifs.

La dégradation de ces ingrédients est principalement causée par trois facteurs: la lumière, la chaleur et la friction occasionnée par des manipulations excessives. La moisissure peut également causer la perte d'une récolte.

La durée du séchage peut varier de six jours à quatre semaines selon la dimension des retailles, l'âge des plantes, la quantité récoltée et l'humidité ambiante.

Une température de 15,5 °C (60 °F) et une humidité relative de 40° sont les conditions ambiantes idéales pour un bon séchage. Un endroit frais, sec, bien aéré et à l'abri des rayons du soleil doit donc être aménagé. Plus le séchage est rapide, moins il y a de pertes du potentiel et de risques de moisissures.

Les retailles peuvent être placées, bien espacées, sur une moustiquaire ou du papier (non ciré ou imprimé). Pour permettre une bonne aération, l'installation d'un ventilateur rotatif convient parfaitement, car la circulation d'air peut également réduire l'humidité. Retournez les retailles chaque jour. Et n'oubliez surtout pas d'inscrire chaque lot que vous manipulez.

Après quelques années, les plantes se seront propagées et il faudra occasionnellement en éliminer quelques-unes afin de conserver de l'espace et de bonnes conditions de croissance.

Toutes les parties aériennes de la plante sont utilisables. Si vous récoltez la plante entière, coupez les racines immédiatement. Le système racinaire d'une plante agit un peu comme un système nerveux. Dès que les racines sont endommagées et que les plantes n'ont plus accès à l'eau et à la nourriture du sol, ces dernières puisent leur énergie à même leurs propres réserves. Les ingrédients actifs sont alors détruits.

Les plantes peuvent être réunies et attachées en groupes de cinq. Suspendez ensuite le tout, la tête vers le sol, à une corde et utilisez le même protocole que pour les retailles.

Une inspection quotidienne doit être effectuée afin de dépister des problèmes de moisissures (taches blanches). Jetez les parties de plantes qui sont affectées. Les plantes sont sèches lorsque les branches et les tiges florales craquent et se brisent sous la pression des doigts.

Un fait important à noter, les huiles contenues par la plante absorbent les odeurs environnantes. Il est déconseillé de faire sécher vos plantes dans un garage ou tout autre endroit où il y a des odeurs désagréables.

L'ENTREPOSAGE

Si vous ne désirez pas transformer immédiatement vos plantes pour différentes formes de consommation, vous pouvez les entreposer de façon qu'elles conservent leurs propriétés. L'air, la chaleur et la lumière sont des facteurs qui précipitent la dégradation des ingrédients actifs.

Dès que vos plantes sont sèches, réduisez-les en petits morceaux ou en poudre. Placez ensuite le tout dans un contenant opaque et hermétique.

N'utilisez pas de pots en plastique, car ils peuvent absorber les huiles volatiles de la plante. Un récipient en métal donnera un goût amer à votre mixture; un contenant en verre teinté est idéal pour cet usage.

N'oubliez pas de toujours inscrire le nom de la plante et la date de la récolte sur le pot. Ceci vous permettra d'établir la durée de vie des propriétés actives de la plante.

Dans un contenant hermétique placé à l'abri de la lumière, les propriétés thérapeutiques seront conservées intactes pendant un peu moins d'un an. Le réfrigérateur est un bon endroit pour entreposer vos contenants pour autant qu'ils soient vraiment hermétiques afin d'éviter des problèmes de moisissures.

Une chambre froide ou une pièce fraîche et sombre conviennent également. Les semences peuvent être conservées plusieurs années au congélateur.

CHAPITRE 10

LA CULTURE INTÉRIEURE

LA FRAÎCHEUR À LONGUEUR D'ANNÉE

La culture intérieure peut être une solution amusante afin de disposer de plantes fraîches à longueur d'année. Le millepertuis se prête bien à cette méthode culturale. Toutefois, ces plantes n'atteindront pas le même potentiel que celles cultivées à l'extérieur, mais peuvent quand même constituer un excellent thé.

Il existe des avantages considérables reliés à cette méthode de culture. Grâce à nos interventions, les plantes bénéficient de conditions ambiantes très adaptées à leurs besoins. L'apport d'eau est régulier et adéquat. Le pH est stable, car le sol n'est pas exposé aux retombées qui peuvent influencer son équilibre chimique.

Il ne peut y avoir de contamination par des pesticides. Les plantes profitent d'un climat idéal, car le temps n'est jamais nuageux, et la température et l'humidité sont contrôlées. L'absence d'insectes nuisibles est également assurée par la propreté des lieux.

Indirectement, la culture intérieure peut compenser les carences de lumière et adoucir les symptômes des désordres saisonniers, pour autant que l'on aime regarder ses plantes souvent. Grâce à de l'équipement spécialisé, il est possible d'aménager un jardin miniature à peu près partout dans la maison. Les conditions ambiantes sont faciles à contrôler à l'aide de minuteries et de quelques appareils domestiques couramment employés.

Cette méthode comporte également des inconvénients. Ainsi, les plantes cultivées à l'intérieur ne sont pas exposées aux nombreux facteurs environnementaux qui régissent le développement équilibré et naturel des plantes du jardin. Leur résistance naturelle est donc compromise. Le jardinier doit veiller à reproduire les conditions naturelles de la façon la plus rigoureuse qui soit. Cela demande du temps. Jouer le rôle de Dame Nature est nettement plus accaparant que de n'être qu'un simple spectateur.

Voici d'autres désavantages: un jardin d'intérieur mal installé peut causer des dommages à votre résidence et l'achat de l'équipement comporte des frais dont la nature nous dispense habituellement.

Une simple installation pour quelques plantes n'est toutefois pas si chère. Voici les éléments qu'il faut considérer pour l'aménagement d'un jardin d'intérieur.

LA LUMIÈRE

En premier lieu, il faut choisir l'endroit selon les besoins en éclairage. Le millepertuis commence à fleurir lorsqu'il est exposé à une photopériode de 14 heures. Si vous disposez d'un solarium ou de grandes fenêtres exposées vers le sud ou le sud-est, vous n'aurez besoin de lumière artificielle que pour compléter ce cycle. Sinon, il faudra aménager une petite pièce où la lumière ne pénètre pas.

Le choix des lampes varie selon les besoins. À l'intérieur, le millepertuis peut atteindre une hauteur de 0,60 m (2 pi). Sa croissance et sa floraison exigent un taux de lumière de 10 à 15 watts par pied carré.

Si vous ne voulez cultiver que quelques plantes, des fluorescents produiront suffisamment de lumière. Les fluorescents utilisés pour la culture des semis sont idéals pour cet usage. Les plantes ont besoin d'un spectre de lumière élargi. Pour une installation plus élaborée, les lampes au métal halide ou au sodium sont très efficaces, mais elles consomment plus d'électricité.

Les rayons ultraviolets sont nécessaires pour leur croissance et pour les échanges chimiques qui se font lorsque la plante absorbe le gaz carbonique et rejette l'oxygène. Les rayons infrarouges contribuent à stimuler l'induction florale. La lumière des fluorescents à spectre élargi convient bien, mais son faible taux de pénétration exige qu'ils soient placés très près des plantes (de 15 à 30 cm [5,9 à 11,8 po]).

Suspendez les fluorescents à une hauteur que vous pourrez ajuster au rythme de la croissance des plantes. Le contrôle de la photopériode se fait à l'aide d'une minuterie que l'on règle sur un cycle de 14 heures de lumière par jour.

LES CONDITIONS AMBIANTES

La température doit varier de 20 °C (68 °F) le jour à 15 °C (59 °F) la nuit.

Le millepertuis peut être sensible à une trop grande humidité; un taux d'humidité de 50° à 60° lui convient. Vous pouvez ajuster ce taux à l'aide d'un humidificateur.

Cette plante a également besoin d'une bonne circulation d'air que vous lui donnerez avec un petit ventilateur rotatif.

L'action de ce ventilateur affecte le taux d'humidité, il faut donc vous ajuster en conséquence.

L'apport d'air frais est également essentiel. Le jour, les plantes se nourrissent du gaz carbonique (CO_2) contenu dans l'air. Le taux normal de 300 ppm (parties par million) est nécessaire à leur croissance.

Si l'air ambiant n'est pas renouvelé, les plantes épuisent le CO_2 qu'il contient, et vous remarquerez un ralentissement de la croissance.

Une source d'air frais peut être apportée grâce à un petit ventilateur raccordé à un tuyau de ventilation qui donnera sur une prise d'air. Programmez trois ou quatre changements d'air de 15 minutes chacun par jour à l'aide d'une minuterie.

En culture industrielle en serres, des générateurs de gaz carbonique sont utilisés afin d'en augmenter le taux jusqu'à 1 500 ppm. Cela accélère la croissance des plantes qui sont, par contre, beaucoup plus fragiles aux maladies et aux infestations.

La croyance populaire fait en sorte que les plantes d'intérieur soient bannies des chambres à coucher et des chambres d'hôpitaux à cause de l'absorption d'oxygène qu'elles effectuent la nuit. Permettez-moi d'ouvrir une parenthèse sur ce sujet.

Le jour, les plantes absorbent le gaz carbonique par leurs stomates (pores) et rejettent de l'oxygène. Cette activité (photosynthèse) est catalysée par la lumière. La nuit, les plantes absorbent l'oxygène et rejettent le gaz carbonique, mais les stomates se referment à la noirceur et la respiration de la plante se réduit. Les taux de gaz rejetés la nuit sont donc infimes et ne peuvent porter préjudice à votre santé. Biofiltre par excellence, un jardin d'intérieur rehausse l'apport d'oxygène durant le jour et élimine également les polluants de votre résidence.

LE TERREAU

Pour permettre une bonne croissance, le terreau doit lui aussi être adapté pour l'intérieur. Pour convenir au millepertuis, il doit permettre une bonne aération et un bon drainage. Un bon mélange peut être composé comme suit:

- 40 % de terre à jardin compostée;
- 30 % de vermiculite ou de perlite;
- 20 % de sable horticole;
- 10 % de mousse de tourbe.

Éliminez les morceaux de bois et les insectes que vous pourriez trouver en faisant votre mélange.

Le millepertuis aime être à son aise. Pour lui assurer un espace suffisant à ses racines, utilisez un pot de 15 cm (6 po) de diamètre et 30,5 (12 po) de profondeur. Placez ces pots dans une soucoupe et sur une toile de polythène ou un petit panneau de styromousse.

Vérifiez le pH de votre sol à l'aide d'un papier marqueur. La mousse de tourbe peut légèrement acidifier votre sol. Une application de chaux dolomite corrigera ce problème tout en palliant d'éventuelles carences en magnésium.

LA FERTILISATION

L'apport d'engrais n'est pas nécessaire pour la culture du millepertuis bien qu'un peu de phosphate de roche puisse combler ses besoins en calcium.

Cette plante se satisfera du compost que vous aurez incorporé au sol. Toutefois, si la plante développe des carences, vous devrez y remédier.

Les problèmes qui pourraient survenir concerneront probablement une carence en magnésium qui se traduit par un jaunissement des jeunes feuilles dont les nervures resteront vertes. Une application de sel d'Epsom peut corriger cette carence. La chaux n'est utilisée que lorsqu'il faut ajuster le pH.

Une carence en azote se traduira par le jaunissement et par la perte des feuilles plus âgées. Une application d'urée organique sera nécessaire. Consultez votre centre de jardin pour vous procurer ces produits et pour connaître leur posologie.

L'ARROSAGE

L'eau du robinet est généralement d'un pH neutre. Toutefois, cette eau est traitée à l'aide de plusieurs produits dont vous ne voulez pas. En laissant votre eau reposer dans un récipient ouvert durant 24 heures, cela permettra au chlore et aux autres produits de s'évaporer et de rendre la température de l'eau convenable aux plantes.

L'arrosage doit se faire selon les besoins de la plante, et non pas à une fréquence régulière. Le millepertuis préfère un sol sec et aéré. Un sol constamment humide prive les racines d'oxygène et pourrait également causer des problèmes de moisissures ou de champignons.

Humidifiez le sol suffisamment pour que l'eau s'échappe un peu par les trous d'évacuation. Laissez ensuite le terreau s'assécher sur un quart de son volume avant d'arroser à nouveau. Videz le surplus d'eau des soucoupes après 20 minutes.

Les plantes qui bénéficient d'un éclairage naturel, comme dans un solarium, verront leurs besoins en eau changer avec la température extérieure. L'absorption de l'eau est ralentie lorsqu'il fait nuageux.

L'arrosage des plantes qui vivent sous un éclairage artificiel est fait plus régulièrement grâce à la constance des conditions ambiantes.

CHAPITRE 11

LES MODES DE TRANSFORMATION ET LA CONSOMMATION

Pour préparer les recettes suivantes, il faut s'assurer de la propreté des lieux et de l'utilisation d'ustensiles adéquats. Un chaudron de verre traité convient parfaitement pour les infusions et pour les extractions. Les casseroles en métal altèrent le goût du produit et celles en aluminium ou en cuivre peuvent dégager des particules qui s'ajouteront à votre mixture.

Les tasses à mesurer doivent être faites de matériaux inertes. La filtration peut s'effectuer à l'aide d'une passoire à thé ou d'une étamine. Une balance sera également nécessaire afin de mesurer les quantités que vous utilisez.

LES INFUSIONS

Les infusions ne sont pas assez puissantes pour traiter de graves conditions comme la dépression et les infections virales. Leur utilisation est plutôt recommandée pour soulager les symptômes de l'insomnie, de l'anxiété, de la grippe et d'autres conditions de moindre conséquence.

Privilégiées par la médecine chinoise traditionnelle depuis des siècles, les infusions et les décoctions sont considérées comme les plus pures formes de consommation. Elles sont faites avec toutes les parties de la plante et contiennent tous ses ingrédients actifs. Elles procurent l'ensemble des effets bénéfiques dont le potentiel se trouve par contre dilué.

Le millepertuis peut être consommé en thé, seul ou ajouté à d'autres herbes.

Bien que certaines mises en garde aient souligné les dangers de synergie entre les éléments de différentes plantes, la faible concentration des thés ne représente pas de graves dangers.

L'ajout de plantes comme la menthe peut parfois être utile pour soulager une condition spécifique et pour donner un bon goût. Une restriction pourrait concerner l'utilisation conjointe de la valériane, mais cela reste à être confirmé. Si vous vous laissez aller à quelques créations culinaires, soyez à l'écoute de votre corps qui jugera les résultats!

Les infusions ou les thés sont faits à l'aide d'herbe fraîche ou séchée. Dans ce deuxième cas, vous devez vous assurer de bonnes méthodes de conservation. L'herbe sèche réduite en poudre est plus concentrée que l'herbe fraîche coupée en petits morceaux. Il vous faut donc multiplier par trois la quantité requise si vous préférez la fraîcheur. Vous devez consommer au moins trois thés par jour pour ressentir les effets thérapeutiques.

Thé au millepertuis

Pour obtenir une bonne infusion, ajoutez 5 ml (1 c. à thé) de poudre pour chaque 250 ml (1 tasse) d'eau de source ou distillée. Après avoir déposé l'herbe dans une théière préchauffée, versez l'eau chaude, recouvrez et laissez le tout reposer pendant 15 minutes.

Versez ensuite dans une tasse en filtrant le tout à l'aide d'un tamis fin. Du miel, un bâton de cannelle ou de la cassonade peuvent être ajoutés selon votre goût.

Pour faire un thé composé d'une combinaison de plantes médicinales, ajoutez 250 ml (1 tasse) d'eau pour chaque 5 ml (1 c. à thé) d'herbe supplémentaire.

Voici quelques suggestions.

Thé pour la grippe et autres infections légères
5 ml (1 c. à thé) de millepertuis
5 ml (1 c. à thé) de menthe poivrée
5 ml (1 c. à thé) d'échinacée
500 ml (2 tasses) d'eau de source

Thé pour l'insomnie
10 ml (2 c. à thé) de millepertuis
5 ml (1 c. à thé) de valériane
5 ml (1 c. à thé) de camomille
500 ml (2 tasses) d'eau de source

Thé calmant
10 ml (2 c. à thé) de millepertuis
5 ml (1 c. à thé) de valériane
5 ml (1 c. à thé) de balsamine
500 ml (2 tasses) d'eau de source

Thé tonifiant
10 ml (2 c. à thé) de millepertuis
5 ml (1 c. à thé) de lavande
5 ml (1 c. à thé) de romarin
500 ml (2 tasses) d'eau de source

Ces thés peuvent être consommés de trois à quatre fois par jour. Vous pouvez laisser la théière et son contenu sur le comptoir si vous préférez boire votre infusion à la température de la pièce. Vous devrez par contre jeter les restants et les moutures à la fin de la journée.

Vous pouvez réchauffer votre thé sur la cuisinière pour autant que vous ne le faites pas bouillir. Une autre bonne méthode consiste à ajouter 30 ou 60 ml (1 ou 2 oz) d'eau bouillante dans votre tasse. Il ne faut jamais réchauffer une infusion au micro-ondes.

Si, par une chaude journée d'été, vous préférez boire un thé glacé, placez tout simplement votre récipient au réfrigérateur. Les propriétés de la mixture seront efficaces même refroidie.

Il existe d'autres méthodes de transformation qui peuvent être utiles pour différentes applications. Tout comme les thés, ces recettes ne doivent pas servir pour le traitement de la dépression.

LES EXTRAITS LIQUIDES

Les extraits liquides sont la forme qui a le plus grand potentiel thérapeutique grâce à leur grande concentration en ingrédients actifs.

Les extraits liquides sont fabriqués en immergeant les parties broyées de la plante dans un solvant. Un alcool à 80 % ou plus est utilisé à cette fin. Ne prenez que de l'alcool voué à la consommation. Les alcools de bois ou le méthanol sont très toxiques et peuvent causer de graves empoisonnements.

L'industrie utilise principalement de l'alcool éthylique. La vodka peut également être un bon choix, car elle contient peu d'additifs. L'alcool agit aussi comme un agent de conservation et aide à conserver le potentiel intact durant une année. Il est également parfait pour cette opération, car il extrait tous les composants actifs de la plante.

Prenez 500 ml (2 tasses) d'alcool et ajoutez 227 g (8 oz) d'herbe fraîche hachée ou 113 g (4 oz) d'herbe en poudre.

Placez cette mixture dans un contenant hermétique que vous devrez remuer quotidiennement deux ou trois fois les premiers jours. Puis, laissez reposer le tout. Après un certain temps, les éléments inactifs auront décanté au fond du réceptacle. Ce procédé peut prendre de deux à quatre semaines. Filtrez la solution et entreposez-la dans un récipient opaque afin de la protéger de la lumière.

Pour consommer, vous n'avez qu'à ajouter 3 ml (½ c. à thé) de la solution dans 250 ml (1 tasse) d'eau de source ou de jus de fruits selon votre goût. La dose maximum d'extraits ne doit pas être supérieure à une cuillère et demie.

Vous pouvez diminuer la teneur en alcool en versant 30 ml (2 c. à soupe) d'eau chaude sur l'extrait avant d'ajouter l'eau de source ou le jus. Ceci permettra à l'alcool de s'évaporer.

L'alcool ne convient pas à tous. La glycérine est une bonne solution de rechange et un excellent agent de conservation, mais elle ne peut extraire tous les ingrédients actifs d'une plante. Le potentiel thérapeutique est donc réduit.

Si vous utilisez de la glycérine, ajoutez 1 l (4 tasses) d'eau et 1 l (4 tasses) de glycérine pour chaque 113 g (4 oz) d'herbe que vous utilisez.

LES HUILES ESSENTIELLES

Les huiles essentielles sont obtenues en laissant tremper des parties fraîches de la plante dans une huile végétale pure. Après une période variant de deux à six semaines, l'huile se teindra d'une couleur pourpre et deviendra légèrement fluorescente. La présence de l'hypéricine serait responsable de cette luminosité.

Les huiles de tournesol, d'amande, d'olive et de sésame sont recommandées.

Les huiles obtenues par un procédé de pression à froid sont d'un rendement supérieur et contiennent moins de gras saturés.

Utilisez une jarre en verre dotée d'un couvercle hermétique qui peut contenir 1 l (4 tasses). Prenez 113 g (4 oz) d'herbe fraîche que vous broyez et compressez fermement dans la jarre. Versez à la suite l'huile jusqu'au rebord pour couvrir complètement les parties de plantes. Fermez hermétiquement le couvercle.

Après quelques semaines, lorsque l'huile est infusée et teintée de pourpre, filtrez la solution à l'aide d'une étamine et versez le résultat dans une autre jarre. Au bout de quelques jours, l'humidité résiduelle se sera déposée au fond et il ne restera plus qu'à séparer l'huile de l'eau.

Entreposée dans un endroit frais, cette huile conservera ses propriétés pour une année. Les huiles essentielles servent comme un baume pour traiter les coupures superficielles, les brûlures légères, les entorses et les ecchymoses.

LES CRÈMES ET LES ONGUENTS

D'usage topique comme les huiles essentielles, certaines crèmes ne font que former une couche protectrice, d'autres sont absorbées par la peau. L'efficacité des crèmes et des onguents à base de millepertuis n'a été ni prouvée ni étudiée.

De la gelée de pétrole est utilisée pour faire un onguent de base. Une proportion de quatre parties de gelée pour une partie d'herbe est requise; par exemple, 227 g (8 oz) de gelée pour 30 ml (2 c. à soupe) d'herbe.

Placez ce mélange dans une casserole en verre et réchauffez très doucement. Le mélange ne doit pas cuire mais plutôt fondre, de façon à permettre aux ingrédients de se mêler l'un à l'autre. Laissez mijoter la mixture pendant une période variant entre 15 et 60 minutes. Il faut plus de temps si vous utilisez des parties fraîches de la plante afin de permettre l'évaporation de l'humidité résiduelle.

Lorsque le mélange est devenu homogène, versez-le dans une jarre en le filtrant à l'aide d'une étamine.

Si vous voulez une texture plus crémeuse, recommencez l'opération en ajoutant de l'huile végétale ou une matière grasse comme du beurre de cacao.

Pour rendre le mélange plus ferme, ajoutez de la cire d'abeille. Il sera également bon d'additionner une goutte d'extrait benzoïque pour chaque once de matière grasse afin de mieux conserver le mélange.

Pour terminer, placez votre onguent dans un petit pot en laissant le moins d'espace possible pour l'air, qui accélérerait l'oxydation du produit. Eh oui, c'est dans les petits pots qu'on trouve les meilleurs onguents!

LES CAPSULES

Les capsules sont évidemment très faciles à confectionner. Il suffit d'acheter des capsules de gélatine et de les remplir de poudre d'herbe. Toutefois, il est impossible de connaître avec certitude la concentration d'ingrédients actifs qui s'y trouvent. L'utilisation thérapeutique est donc teintée d'incertitude. Il est préférable d'acheter des capsules standardisées si on veut prendre cette formulation.

CHAPITRE 12

L'AVENIR DU MILLEPERTUIS ET AUTRES CONSIDÉRATIONS

L'AVENIR DANS UNE TASSE DE THÉ?

On ne peut penser à l'avenir du millepertuis sans se référer à son passé. Depuis le temps qu'il est utilisé, il y a de bonnes chances qu'il ait soigné un de nos ancêtres.

Il est indéniable que le millepertuis possède un grand potentiel thérapeutique: six mille ans d'utilisation archivés, des découvertes sur ses ingrédients actifs et des centaines de milliers d'Allemands qui ont pris des millions de doses sont là pour le confirmer.

Les nouvelles applications qui découleront des recherches actuelles sont anticipées avec beaucoup d'espoir. En effet, les besoins pour de nouvelles thérapies n'ont jamais été aussi pressants.

Outre ses propriétés thérapeutiques pour soulager les symptômes de la dépression, son potentiel antibiotique est souligné dans les études d'aujourd'hui.

La résistance accrue des bactéries envers les antibiotiques est probablement le domaine où le millepertuis sera le plus utile à court et à moyen termes.

Il a récemment été prouvé que l'*hypericum* était très efficace contre la bactérie *staphyloccus aureus* qui sévit régulièrement dans les hôpitaux. Cette bactérie est devenue résistante à plusieurs des antibiotiques sur le marché. À un tel point que l'on doit mettre les patients atteints de ces infections en quarantaine à chaque nouvelle épidémie.

Les infections nosocomiales (maladies contractées en milieu hospitalier) sont responsables de plus de 10 % à 25 % des mortalités qui surviennent en milieu hospitalier. De plus, des frais de 200 millions de dollars sont attribuables à ces infections, qui s'ajoutent à un système de santé défaillant et en constante restructuration.

Devant l'urgence de ce problème, le gouvernement du Québec a créé le réseau de surveillance provinciale des infections nosocomiales. Il est donc facile de constater à quel point il est essentiel de renouveler notre panoplie de médicaments antibiotiques.

Les maladies comme le sida et le cancer sont des domaines où les besoins sont également préoccupants. Le millepertuis sera donc un nouvel allié accueilli à bras ouverts.

Les recherches cliniques se concentrent donc sur cette plante avec un très grand intérêt. Leur motivation est récompensée par les résultats probants des dernières années. Les études prennent maintenant toutes sortes de directions.

Depuis le début de la planification de la station orbitale Freedom, il est prévu d'y aménager des plantes pour recycler l'air et pour étudier leur comportement dans l'environnement spatial. Beaucoup de recherches médicales sont prévues dans ce laboratoire de l'espace. Gageons que le millepertuis sera une des premières plantes cosmonautes à prendre bientôt place dans la navette spatiale.

LA POSITION OFFICIELLE DES INTERVENANTS

Le débat sur la médecine herboriste est continuel et souvent stérile. Au Canada, ce débat a atteint un nouveau sommet lors d'un récent jugement rendu par la cour de justice de l'Alberta et soutenu par la Cour supérieure.

Ce jugement a contraint les parents d'un enfant cancéreux de le traiter à l'aide d'une chimiothérapie conventionnelle, contrairement à leur souhait de recourir à une médecine parallèle. La thérapie évoquée, composée de cartilages de requin et d'extraits de noix, est prohibée au Canada mais accessible au Mexique.

Les fortes réactions et les opinions divergentes pour ce cas ont démontré un grand intérêt du public pour une meilleure réglementation.

En réponse à ces événements, le gouvernement fédéral a décrété de nouvelles mesures. En avril 1999, Santé Canada annonçait la création d'un nouveau bureau qui aura la responsabilité de réglementer la mise en marché des herbes médicinales.

Parmi les nouvelles lois, les manufacturiers sont obligés, depuis le mois de juin 1999, de prouver scientifiquement la sécurité de leurs produits et d'en afficher la liste complète des ingrédients sur l'emballage. Une des raisons principales est la profusion de produits non homologués qui sont vendus librement, et ce, sans aucune garantie de leur efficacité.

Au cours de mes recherches, j'ai effectivement constaté que bon nombre de produits sur le marché ne satisfaisaient pas les normes les plus élémentaires de production et d'information. Par exemple, l'étiquette d'une bouteille d'extrait liquide, achetée dans une boutique artisanale, n'indiquait que le mode de fabrication à l'aide de fleurs de millepertuis et d'alcool de grain à 50 %.

Aucune mention du taux des ingrédients actifs ne garantissait leur présence.

Le taux de solvant utilisé pour l'extraction n'était pas davantage présent, la concentration de la posologie indiquée était donc inconnue. De plus, l'alcool à 50 % contient trop d'impuretés comparativement au taux de 80 % qui est recommandé pour cet usage.

Une autre bouteille, produite par une entreprise renommée et pourtant approuvée par un DIN, ne faisait pas non plus état de la concentration des ingrédients actifs ni du pourcentage d'extraction. L'efficacité d'une thérapie est très incertaine dans ces conditions. Il est essentiel d'établir des normes qui seront les mêmes pour tous.

Le statut de l'herboristerie diffère énormément d'un pays à l'autre. En Allemagne, les praticiens «alternatifs» qualifiés ont le même statut que les médecins conventionnels. En France, les phytothérapeutes sont des médecins ayant obtenu une accréditation officielle après quatre années d'études spécialisées en faculté, à la suite de leurs études en médecine.

Au Japon, l'herboristerie est entièrement intégrée au système de santé de l'État.

La réglementation américaine est plutôt anarchique. Il est illégal d'exercer l'herboristerie dans certains États qui permettent toutefois l'automédication sans soutien professionnel. Dans plusieurs autres États, les phytothérapeutes ont toute la liberté qu'ils désirent.

Au Canada et au Québec, il est illégal pour un phytothérapeute de faire un diagnostic; seul un professionnel de la santé peut en établir un.

La médecine herboriste et la phytothérapie doivent donc subir des réformes fondamentales afin d'assurer des critères de qualité qui leur permettront d'avoir une meilleure crédibilité.

La création d'associations de phytothérapeutes et d'écoles spécialisées se veut une réponse à la normalisation de cette industrie dans notre système de santé. Un autre but visé est de protéger le public des fraudeurs et des opportunistes en tous genres.

Les associations exigent que pour pouvoir devenir phytothérapeute, il faut préalablement suivre une formation spécialisée de 180 heures, à laquelle s'ajoutent annuellement un perfectionnement obligatoire de 15 heures et des cours optionnels. Les phytothérapeutes sont également régis par un code de déontologie et doivent souscrire à une assurance professionnelle. La formation offerte dans ces écoles spécialisées n'est pas accréditée par le ministère de l'Éducation du Québec et n'est pas reconnue par Santé Canada.

En ce moment, 25 disciplines du domaine de la santé sont reconnues par le Code des professions. Cette reconnaissance ne fait que confirmer que ces thérapies sont soutenues par une formation structurée et qu'une description précise du champ d'action de ces thérapies est établie. Il ne s'agit, en aucun cas, d'une forme d'approbation.

La partie se joue donc beaucoup sur le plan gouvernemental. Les enjeux sont de taille. Le marché des herbes médicinales représente maintenant des milliards de dollars. Les pressions faites par l'industrie pharmaceutique et les associations médicales pour conserver leur part du marché ne font que ralentir le processus qui permettra une rationalisation du marché herboriste.

Les nombreuses personnes qui s'improvisent naturopathes minent également la crédibilité d'une science qui a pourtant fait ses preuves dans bien des cas et depuis longtemps déjà. Les réformes sont indispensables pour autant qu'elles ne briment pas notre liberté de choisir les solutions qui nous conviennent et notre accessibilité aux produits déjà reconnus ailleurs.

Et ailleurs?

Aux États-Unis, le marché des suppléments naturels a atteint, en 1998, le chiffre respectable de 12 milliards de dollars, ce qui représente une augmentation de 200 % au cours des cinq dernières années. Selon le *Nutritional Business Journal*, le millepertuis arrive deuxième, après le ginkgo biloba, avec des ventes estimées à 121 millions de dollars américains, à la suite d'une augmentation de 2801 % de ses ventes depuis 1997-1998.

Cet intérêt a suscité le déblocage de fonds substantiels pour la recherche. Plusieurs organismes se sont réunis afin de mener des études, le millepertuis en tête de liste, qui s'avéreront déterminantes dans un proche avenir. Parmi les intervenants de cette nouvelle approche figurent l'Institut national de la santé mentale (NIMH ou National Institute of Mental Health), le Bureau des suppléments diététiques (ODS ou Office Diatary Supplement) et le tout nouveau Bureau des médecines alternatives de l'Institut national de la santé (OAM ou Office of Alternative Medecine).

Récemment, une simple notion théorique est devenue la source d'un débat gigantesque, à la mesure de nos voisins du Sud. En effet, la Food and Drugs Administration (FDA) a proposé, en avril 1998, de nouvelles réglementations concernant le marché des suppléments diététiques.

Depuis 1994, l'acte de loi sur les suppléments diététiques, la santé et l'éducation (DSHEA ou Diatary Supplement Health and Education Act) permet aux manufacturiers de fournir des informations sur la façon dont leurs produits peuvent affecter la structure et les fonctions de l'organisme. Il leur est toutefois interdit d'affirmer qu'ils peuvent soulager ou guérir une maladie.

La nouvelle réglementation propose de regrouper des conditions de vie telles que la ménopause et les migraines intenses sous la même classification que les maladies officielles. L'impact d'une telle loi, si elle était adoptée, aurait de nombreuses conséquences sur la façon dont les herbes médicinales seraient distribuées.

En reclassant ces herbes comme médicaments, la FDA tente d'obtenir un meilleur contrôle de l'usage de ces herbes, qui ne seraient accessibles qu'avec une ordonnance. Les critiques affirment que cette loi va favoriser l'augmentation des coûts et restreindre l'information permise aux manufacturiers.

L'anarchie du marché des plantes médicinales américain favorise des conditions à risque en permettant à quiconque de s'improviser spécialiste et de mettre en danger la santé de personnes déjà souffrantes, en leur prescrivant des médicaments inadéquats pour leur condition. La qualité douteuse et la provenance incertaine de plusieurs produits causent également des problèmes.

En septembre 1997, le *New England Journal of Medecine* rapportait de nombreux cas d'intoxications et de malaises à la suite de la consommation d'herbes médicinales. Des cas d'empoisonnements au plomb, d'impotence, de rythmes cardiaques altérés, de nausées et d'autres effets secondaires ont été documentés dans cet article.

En contrepartie, un article publié par le *Journal of the American Medical Association* rapportait des statistiques plutôt rassurantes concernant l'utilisation des herbes thérapeutiques. En 1997, on a recensé 400 000 décès reliés à l'usage de la cigarette, 100 000 à celui des drogues pharmaceutiques et un seul à celui des plantes médicinales.

Comme on peut le constater, des sommes et des ressources énormes sont mobilisées afin de parvenir à une forme de normalisation qui garantira l'efficacité et la sécurité des produits d'herboristerie.

Les législations et les nombreuses réglementations qui sont en train de prendre place vont certainement changer le paysage de l'herboristerie en Amérique du Nord. Grâce à son efficacité, le millepertuis est devenu l'un des chevaux de bataille des défenseurs de cette industrie.

Pendant ce temps, dans le magnifique pays de la Bavière, on prend sa pilule, on boit une bonne bière, on sourit et... on guérit.

LES 10 PLANTES MÉDICINALES LES PLUS VENDUES AUX ÉTATS-UNIS

Plante médicinale	En millions de dollars américains	% de croissance 1997-1998
Ginkgo biloba	138	140
Millepertuis	121	2801
Ginseng	98	26
Ail	84	27
Échinacée	33	151
Palmette	27	138
Semences de raisin	11	38
Kava	8	473
Canneberges	8	75
Valériane	8	35

Source: *Nutritional Business Journal.*

SUR L'HORTICULTURE

Certaines variétés de millepertuis sont utilisées en horticulture ornementale.

Comme nous avons vu précédemment, ces variétés similaires ne peuvent être utilisées à des fins thérapeutiques. Par contre, ces plantes vivaces ont des qualités fort appréciables.

Le millepertuis rampant (*H. calycinum*), par exemple, peut s'étendre sur une largeur de 1,2 m (4 pi) et n'avoir que 0,30 m (1 pi) de hauteur. Sa floraison abondante qui dure tout l'été et son feuillage dense en font un excellent couvre-sol pour les rocailles.

Depuis qu'il s'est naturalisé à notre environnement, le millepertuis est devenu un parfait exemple pour la culture de plantes indigènes. Mieux adaptées aux conditions ambiantes de notre climat, ces plantes sont très faciles à cultiver, et leur culture n'a aucune répercussion négative sur l'environnement.

L'expansion constante de l'industrie de l'horticulture ornementale, telle que nous la pratiquons aujourd'hui, entraîne des conséquences imprévues sur l'écologie. La majorité des plantes annuelles sont d'origine étrangère, habituées à un sol plus riche. Elles exigent donc une fertilisation soutenue et une grande quantité d'eau.

Cette fertilisation se fait la plupart du temps à l'aide d'engrais chimiques. La vie organique du sol est donc constamment menacée. L'utilisation de pesticides et d'herbicides de façon préventive est également une source de contamination inquiétante. Des quantités énormes de ces produits sont répandues avec les conséquences que l'on sait.

L'utilisation des plantes indigènes est beaucoup plus rationnelle. Mieux adaptées, elles n'exigent que peu de soins qui sont facilement comblés par des méthodes culturales.

De plus, il existe une très grande variété de ces plantes qui fleurissent durant toute la saison estivale. Lors de la colonisation, des variétés comme la verveine de Buenos Aires et la rose trémière se sont répandues allègrement dans nos champs et sur le long des rives. Ces plantes, à floraison abondante, sont dotées de coloris des plus intéressants et leur qualité esthétique n'est pas à mettre en doute.

Plusieurs des plantes importées par les colons étaient médicinales et sont maintenant indigènes à notre climat. Quelques producteurs locaux offrent maintenant une gamme élargie de plantes naturalisées. Souhaitons que cette tendance se maintienne!

L'étalement urbain sans notion de développement durable cause aussi de graves problèmes. Lors de l'aménagement de nouveaux quartiers d'habitation, il est de pratique courante d'éliminer toute la végétation existante et d'implanter de nouveaux végétaux à la fin des travaux de construction. Ceci a surtout pour avantage de faciliter les travaux des promoteurs immobiliers et de profiter aux paysagistes.

On détruit donc complètement une végétation autosuffisante et l'organisation du sol, pour niveler le tout et y aménager des kilomètres carrés de pelouses et de plates-bandes qui exigeront un apport régulier de produits chimiques.

Pour ce qui est du design de l'environnement, la nature est le plus grand maître d'œuvre. Il est beaucoup plus avantageux de s'accorder avec elle en profitant de chacune de ses petites «imperfections». On peut ainsi facilement recréer les conditions naturelles idéales pour la croissance des plantes.

En utilisant les dénivellations du terrain, on peut aménager plusieurs types d'environnements appropriés pour différentes espèces. Des plates-bandes alpines, des jardins d'eau et des coins d'ombre sont ainsi créés avec plus de facilité. En préservant les arbres matures existant, on met en évidence l'apparence rustique des lieux.

Un autre phénomène est inquiétant: le bas niveau de l'eau a atteint un record, à un tel point que les municipalités touchées par ce phénomène se sont regroupées afin d'expliquer sa source et de tenter d'y remédier.

Les restrictions en arrosage sont nécessaires. Cela n'empêche pas les gens de sortir à cinq heures du matin pour arroser leur gazon et leurs fleurs, en n'oubliant pas de laver le pavé uni de l'entrée.

L'utilisation de plantes rustiques, la réduction de l'emploi de pesticides et d'engrais chimiques, la préservation de l'intégrité des écosystèmes et le respect des mesures de restriction d'arrosage ne peuvent que contribuer à la conservation d'une bonne qualité de vie.

Nous devons adopter une vision plus globale. Il serait infiniment triste que l'art noble de l'horticulture, voué à l'embellissement et au plaisir, soit paradoxalement responsable à son tour de dommages irréversibles.

LES SOLUTIONS ENVIRONNEMENTALES

La frontière de notre environnement se situe là où est la plus petite cellule de notre corps et se termine aux confins de l'univers. Limitons-nous à ce que nous pouvons faire concrètement.

La gestion de l'environnement débute par les soins que nous portons à notre santé. Le choix des aliments et de leurs modes de culture est une façon de contrôler les sources de contaminants auxquels nous nous exposons.

Malheureusement, les fruits et les légumes d'aujourd'hui contiennent deux fois plus de pesticides qu'il y a 10 ans. Selon un récent rapport gouvernemental, la quantité relevée de pesticides violant les normes permises a, dans certains cas, triplé depuis la dernière décennie.

Cette contamination ne toucherait que 1,2 % de la production locale. Il n'empêche que dans une pomme, on peut trouver jusqu'à une douzaine de produits chimiques nocifs pour l'homme, la flore et la faune. Ce rapport indique également que 24 % des importations alimentaires contiennent des traces de pesticides. Par exemple, 53 % des cerises importées sont contaminées par des pesticides.

Une nouvelle étude de l'Université du Wisconsin, aux États-Unis, a confirmé que les fœtus et les enfants en bas âge sont particulièrement sensibles à cette forme de contamination, qui leur occasionnerait des problèmes d'apprentissage et d'agressivité. Les impacts sociaux peuvent être constatés aux bulletins de nouvelles presque chaque semaine.

Il faut donc être vigilant dans le choix de nos aliments. Les produits de culture organique sont peut-être un peu plus chers à l'achat mais à long terme, c'est notre santé que nous économiserons.

Vient ensuite la qualité des matériaux qui composent notre demeure et notre milieu de travail.

En 1998, à l'occasion du concours «Innovations écologiques en habitat», organisé par le magazine *La maison du vingtième siècle*, une résidence construite de paille et d'argile s'est vue attribuer le prix «Construction de l'année» par la Société canadienne d'hypothèque et de logement.

La technique de construction de cette maison est vieille comme le monde, mais elle représente tout le confort d'une habitation moderne. Les matériaux utilisés sont le bois, la paille et l'argile. La finition des murs se fait à l'aide d'un crépi composé de sable, de chaux et de ciment à maçonnerie. La finition intérieure est faite de céramique, de linoléum et de bouleau. Aucun dérivé de produit pétrochimique n'est utilisé pour la conception de cette maison. Selon le constructeur, une sensation de bien-être bien particulière y est ressentie.

Une maison semblable est présentement en construction à Montréal dans le cadre d'un programme nommé *Abordabilité et choix toujours*, sous la responsabilité de Julia Bourke, professeur adjoint d'architecture à l'Université McGill.

Une autre technique, qui utilise des blocs de terre comprimés (géobéton), pourrait bientôt représenter une solution durable aux problèmes de pollution causés par les matériaux de synthèse. Cette matière écologique et aussi économique a fait l'objet d'études par l'Université de Sherbrooke et l'Université Concordia, qui ont confirmé les propriétés idéales d'un tel matériau.

Il est donc possible de s'assurer que notre résidence ne comporte pas de dangers pour la santé. Le choix conscient des matériaux de construction et l'apport de plantes d'intérieur peuvent éliminer les risques de contamination. C'est quand nous mettons les pieds à l'extérieur que cela se gâte...

Au mois de mai 1999, la Fondation David Suzuki a rendu public le rapport d'une récente étude intitulée *À couper le souffle*. Celle-ci affirme que le *smog* est directement relié à 16 000 décès annuels dans l'ensemble du pays, et près de 2 000 uniquement à Montréal. Ce rapport a été endossé par l'ensemble des associations médicales du Québec qui constatent, une fois de plus, la gravité de cette situation. Il est urgent de trouver des solutions!

L'industrie et les pouvoirs politiques doivent répondre à la demande des consommateurs; il faut donc affirmer notre intérêt pour une gestion plus saine des ressources et des produits de consommation. Puisque les groupes de pression existant ne sont pas assez puissants pour équilibrer la balance du pouvoir décisionnel, la population doit donc s'exprimer. Et le pouvoir démocratique s'exerce en premier lieu au niveau municipal.

Un bon exemple est celui de Ville Lorraine, au nord de Montréal, qui, à la suite de la demande de ses citoyens, a promulgué une loi interdisant la tonte de pelouses le dimanche, afin de réduire le bruit. Comme on le sait, la pollution par le bruit occasionne un stress évident. Les gens de cette ville disposent maintenant d'une journée hebdomadaire pour récupérer de cette forme d'agression continuelle.

D'autres mesures plus concrètes peuvent être adoptées. La mobilisation des populations de plusieurs régions a contribué à sauver les arbres de leur localité des intérêts de spéculateurs immobiliers.

On suggère également d'obliger les entrepreneurs en traitement de pelouses à fournir sur demande la liste des ingrédients qu'ils utilisent. Mieux informé, le client peut ainsi refuser le traitement s'il n'est pas en accord avec le respect de l'environnement.

La conscientisation est primordiale. Le fait qu'il n'y ait plus qu'un seul journaliste chargé des dossiers environnementaux dans les grands quotidiens du Québec démontre une perte d'intérêt inquiétante.

Les sources de pollution sont innombrables, et cette pollution ne se limite plus seulement à la terre mais s'étend maintenant jusque dans l'espace qui nous entoure. Nous ne pouvons changer les choses qu'en débutant dans notre propre cour!

Les bonnes nouvelles

Après avoir tourné sur eux-mêmes pendant quelque temps, les groupes voués à la défense de l'environnement prennent une nouvelle direction qui semble vouloir porter des fruits.

Afin de contraindre les pollueurs industriels à réduire leurs émissions de polluants, ces organismes veillent à ce que les lois soient appliquées. Les amendes en cas d'infraction doivent bientôt être augmentées en fonction de la gravité de la faute. Il n'en tient qu'à nous de surveiller afin de protéger notre bien commun. C'est à suivre!

La communauté scientifique s'efforce également à réduire les dommages. Les recherches pour contrer la pollution donnent régulièrement des résultats très encourageants, comme de nouvelles bactéries découvertes tout récemment.

Ces bactéries vivent parmi les millions de microorganismes indigènes au sol australien. Elles se nourrissent de composés chimiques spécifiques aux herbicides et, en seulement cinq heures, elles peuvent accomplir le travail de 10 années de régénération naturelle! Des applications pratiques seront bientôt offertes.

Une recherche similaire est actuellement en cours au Canada. Elle vise plus particulièrement l'élimination du DDT, toujours actif dans l'environnement.

Un coup de cœur!

Mon coup de cœur va au Brésil, qui a effectué un virage surprenant en implantant la culture de l'eucalyptus à grande échelle. En favorisant la culture de cet arbre aux propriétés thérapeutiques, le gouvernement a relancé l'économie d'une vaste région. Autrefois vouée à la culture du café, elle ne produisait plus que de très pauvres récoltes à cause de l'épuisement des sols.

La population s'appauvrissait, et les déplacements démographiques subséquents avaient mis en danger l'intégrité de l'environnement.

L'eucalyptus s'est avéré une solution idéale. Cet arbre s'acclimate très bien à son nouvel environnement et contribue à l'instauration d'un écosystème renouvelé et vigoureux. Sa croissance rapide a déjà permis des retombées économiques appréciables.

Il apporte également une solution à l'extermination radicale de la forêt amazonienne. Cette culture rentable est proposée comme un nouveau revenu pour tous les gens qui dépeuplent la forêt pour y exploiter la terre inutilement.

* * *

Quoi qu'il en soit, le millepertuis n'est pas une plante exigeante. Sa culture n'épuise pas le sol; par contre, à grande échelle, elle peut favoriser l'érosion du sol. Les notions de compagnonnage doivent donc être appliquées pour préserver ce que la nature a mis des milliards d'années à perfectionner!

LISTE DES RESSOURCES

Voici une liste des organismes que vous pouvez joindre pour des renseignements complémentaires.

Quelques numéros de téléphone

Association québécoise des phytothérapeutes
(514) 722-8888

Association des herboristes du Québec
(450) 435-2979

Ordre des naturothérapeutes de Québec
(514) 279-6641

Collège des médecins du Québec
1 888 633-3246 (MÉDECIN) ou (514) 933-4441

Santé Canada
(450) 646-1353

Ordre des professions du Québec
1 800 643-6912 ou (514) 873-4057

Association des dépressifs et des maniacodépressifs du Québec
1 800 463-2363

Office de la protection du consommateur
(514) 873-3701

Quelques adresses

Projet pour une agriculture écologique
C. P. 191, Collège MacDonald
Sainte-Anne-de-Bellevue (Québec)
H9X 1C0

Centre de développement de l'agrobiologie du Québec
224, rue Principale
Sainte-Élizabeth-de-Warwick (Québec)
J0A 1M0

Semences

Horti Club
C. P. 408, succ. Saint-Martin
Laval (Québec)
H7S 2A4

Hypericum Buyers Club
8205 Santa Monica Blvd.
Los Angeles, CA 90068 U.S.A.
Tél.: 1 888 497-3742

Stoke Seeds Ltd.
39 James St., Box 10
St. Catharines (Ontario)
L2R 6R6

Gaia Herbs
108 Island Ford Road
Brevar, NC 28712 U.S.A.
Tél.: 1 800 717-7780
Téléc.: 1 800 717-1722

Plants et semences

Seed Savers Exchange
3076 North Winn Road
Decrah, IA 52101 U.S.A.
Tél.: (319) 382-5990
Téléc.: 319-382-5872

Seeds of Change
P.O. box 15700
Santa Fe, NM 87506-5700 U.S.A.
Tél.: 1 888 762-7333

SITES INTERNET

Les adresses électroniques qui suivent sont établies depuis un bon moment déjà; elles devraient donc être valides lorsque vous lirez ce livre. Ces sites sont sous la gestion d'organismes accrédités et d'entreprises reconnues.

Sites francophones

Santé

Santé-net Québec
www.pageweb.qc.ca/ sante/
(Informations générales)

Santé Canada en direct
www.hc-sc.gs.ca/francais/
(Centre de ressources du ministère fédéral de la Santé)

Accès santé
http://www.med-acces.com
(Répertoire francophone des ressources en santé)

GlobalMédic
http://www.globalmedic.com/fr
(Site d'éducation et de prévention)

PsychoMédia
http://www.psychomedia.qc.ca
(Informations, échanges et entraide en psychologie)

Le sommeil, les rêves et l'éveil
http://ura1195-6.univ.lyon1.fr
(Ce site contient 41 000 références sur le sommeil.)

Réseau canadien de la santé des femmes
http://www.cwhn.ca/indexfr.htlm
(Répertoire des ressources en santé des femmes)

Moteur de recherche
http://www.chu-rouen.fr/dcii/htlm/watcu.htlm
(Répertoire des sites web francophones du domaine de la santé)

Environnement, faune et protection

Ministère de l'Environnement et de la Faune du Québec
http://www.mef.gouv.qc.ca
(Site d'informations générales)

Société d'entomologie du Québec
http://ecoroute.uqcn.qc.ca/group/seq
(L'univers des insectes)

Les oiseaux virtuels
http://www.mic.qcéca/ornitho
(Site doté de nombreux liens avec des sites connexes)

Greenpeace
http://www.greenpeace.org/ fr-index.htlm
(Informations sur les actions écologiques en cours)

Amnistie internationale
http://www.amnistie.qc.ca
(Droits de l'homme)

Sites anglophones

www.hypericum.com
(Pour trouver de l'information concernant le millepertuis sur Internet, en langue anglaise, il suffit d'inscrire le mot hypericum et de lancer la recherche. Vous aurez alors une quantité appréciable d'informations en tous genres.)

Voici les sites qui ont retenu mon attention:

FAQ on St.John's-wort
http://www.primenet.com/^ ^camilla/SRJOHNS.FAQ
(Ce cite contient les réponses aux questions les plus couramment posées.)

Southwest School of Botanical Medecine
http://www,chili. rt66.com/hrbmoore/HOMEPAGE
(Tout sur l'herboristerie, avec archives et photographies)

http://hypericum.com/toc.html
(Ce site contient tout le livre publié en 1996 par trois médecins.)

Northern Light
http://www.nlsearch.com
(Ce moteur de recherche est très convivial et est relié à plus de deux millions de sites.)

Reach4Life Quality Products
www.reach4life.com
(Pour des semences de qualité)

BIOSynergy Health Alternatives
www.biosynergy.com
(Un autre bon endroit pour des semences)

Il existe, bien sûr, des centaines d'autres sites où la profusion d'informations concernant le millepertuis et l'herboristerie est incalculable. Ces informations ne sont pas toujours vérifiables. Il faut toujours être prudent avant de suivre les recommandations que vous pourrez y trouver.

BIBLIOGRAPHIE

Articles

«Se soigner par les plantes», *Santé*, juillet-août 1997, p. 14-18.

COLLÈGE DES MÉDECINS. «Attention aux promesses de guérison», *La Presse*, 11 avril 1999.

LINDE, K. *et al.* «St.-John's-wort for Depression: An Overview and Meta-analysis of Randomised Clinicals Trials», *British Medical Journal*, nº 313, 1996, p. 253-258.

NAHRSTEDT, A. et BUTTERWECK, V. «Biologically Active and Other Chemical Constituents of the Herb *Hypericum perforatum L.*», *Pharmacopsychiatry*, 1997.

OSBORNE, Sally Eauclaire. «The FDA Rides Again», *New Age*, janvier/février 1999, p. 96-100.

SOMMER, H. et HARRER, G. «Placebo-Controlled Double-Blind Study Examining the Effectiveness of a *Hypericum* Preparation in 105 Mildly Depressed Patients», *Journal of Geriatric Psychiatry and Neurology*, nº 7, suppl.1, 1994, p. 9-11.

WOLK, H., BURKARD, G. et GRUNWALD, J. «Benefits and Risks of the *Hypericum* Extract» (LI 160: Drug monitoring study with 3250 patients), *Journal of Geriatric Psychiatry and Neurology*, nº 7, suppl.1, 1994, p. 34-38.

Livres

All New Encyclopedia of Organic Gardening, Emmaus (États-Unis), Rodale's Press, 1992, p. 690.

GAGNON, Luc. *Échec des écologistes? Bilan des décennies 70 et 80*, Laval, Éditions du Méridien, 1993, 401 p..

GAGNON, Yves. *Le jardinage écologique*, Saint-Didace (Québec), Éditions Colloïdales, 1993.

ODY, Pénélope. *Les plantes médicinales, encyclopédie pratique*, Montréal, Sélection du Reader's Digest, 1995.

PRESSMAN, Dr Alan et BURKE, Nancy. *St.-John's-Wort, The Miracle Medecine*, New York (États-Unis), Dell Publishing, 1998, 208 p.

THASE, Michael E. et LOREDO, Elizabeth E. *St.-John's-Wort: Nature's Mood Booster*, New York (États-Unis), CDM Publishing, 1998, 320 p.

UN DERNIER MOT

Ce livre est mon premier et j'ai tenté de l'écrire comme si c'était mon dernier.

L'organisation de ce travail exige une forme d'intériorisation particulière.

Notre esprit devient la maquette, la toile où nous projetons l'ensemble de nos connaissances. D'une certaine façon, cela nous permet de vivre plus près de ce que nous sommes.

Durant la recherche et la rédaction, plusieurs mois se sont écoulés. Il n'empêche que cela s'est drôlement passé...

Les travaux ont débuté au plus fort de l'hiver. Cette période où, traditionnellement, je suis un peu déprimé, un peu fatigué. C'est à ce moment-là que j'ai dû décrire le syndrome saisonnier.

Alors que la date de tombée approchait, c'était le chapitre sur le stress que je rédigeais. Maintenant que le printemps est arrivé, je termine avec les joies du jardinier.

Au moment où j'écris ces mots, j'observe une plante qui vient de pousser dans un coin de mon terrain, où je ne m'étais pas encore attardé. La chaleur de cette saison prématurée a fait en sorte que sa floraison a déjà éclaté. De leur jaune profond, les pétales ne cessent de m'inviter.

J'ai bien du mal à le croire, mais je pense bien que je vais me taper... une bonne tasse de thé!

Prenez bien soin de vous, et n'oubliez pas les paroles de ces gens célèbres:

«To Be or not To Be»
William Shakespeare

«To Do Is To Be»
Jean-Paul Sartre

«To Be Do Be Do...»
Frank Sinatra

TABLE DES MATIÈRES

Achevé d'imprimer
sur les presses de l'Imprimerie Quebecor,
L'Éclaireur, Beauceville